D0269061

LEXIQUE DE L'EXPLOITATION AUTOMATISÉE DU RÉSEAU

Fascicule 2 : Gestion du réseau

Hydro-Québec
Vice-présidence Information et Affaires publiques

Première édition : 1978
Deuxième édition : 1990

© Hydro-Québec, novembre 1990
Tous droits réservés.

Dépôt légal – 4e trimestre 1990
Bibliothèque nationale du Québec
Bibliothèque nationale du Canada

ISBN 2-550-20626-6
963-3935

Le fascicule 2 du Lexique de l'exploitation automatisée du réseau *a été réalisé par*

le service Terminologie et Diffusion
Direction Édition et Publicité

avec la collaboration du

Comité de référence du Lexique de l'exploitation automatisée du réseau

composé de

Gérald Grégoire
Direction Conduite du réseau

Jean-Marc Lambert
Service Terminologie et Diffusion

Jacques Parenteau
Direction Planification de l'exploitation du parc d'équipement

Réjean St-Hilaire
Direction Réseau de transport et Interconnexions

Lucien Viau
Direction Distribution

AVANT-PROPOS

Le *Lexique de l'exploitation automatisée du réseau* constitue une édition entièrement refondue et augmentée du *Lexique de l'automatisation* publié en 1978. Il comporte deux fascicules : le premier, publié en 1986, est consacré à la terminologie informatique et électronique ; le deuxième porte sur la terminologie de la gestion du réseau. Il vise à uniformiser la terminologie de ce domaine. Ce lexique s'adresse au personnel d'Hydro-Québec et plus particulièrement aux personnes qui œuvrent dans le domaine de l'exploitation du réseau.

Les termes du présent fascicule ont été choisis par le Comité de référence du Lexique de l'exploitation automatisée du réseau d'Hydro-Québec. Ce comité a été constitué en septembre 1986. Il est composé de spécialistes du domaine de l'exploitation du réseau et d'un terminologue du service Terminologie et Diffusion. Le comité a convenu d'adopter la terminologie française en usage à l'échelle internationale, sauf lorsque des réalités spécifiquement nord-américaines amenaient à s'en écarter et à proposer un terme nouveau.

Au fur et à mesure de l'élaboration du lexique, les membres du comité ont mené des consultations au sein de leur unité administrative. En dernière étape, la consultation a été étendue à d'autres unités administratives susceptibles d'utiliser cette terminologie. Nous remercions toutes les personnes consultées de leur collaboration, et plus particulièrement Cyril Déziel, de la direction Distribution, André Michaud, de la direction Planification de l'exploitation du parc d'équipement, ainsi que Francine Doray et Simone Riscalla, du service Terminologie et Diffusion, qui ont participé à la réalisation du vocabulaire.

Nous espérons que le présent document saura être utile et que les utilisateurs voudront bien communiquer leurs observations et leurs critiques au service Terminologie et Diffusion.

NOTES LIMINAIRES

, La virgule sépare des termes synonymes.

; Le point-virgule sépare des termes qui ne sont pas synonymes.

* L'astérisque indique qu'un terme est à éviter.

voir La mention « voir » renvoie à un terme correct.

(...) Les parenthèses servent :

- à indiquer que l'emploi d'une partie d'un terme est facultatif, par exemple, *amorçage (d'arc)* ;
- à donner une explication en vue de préciser le sens d'un terme, par exemple, *découplage (d'un groupe)* ;
- à donner le symbole ou le sigle d'un terme, par exemple, *centre de conduite du réseau (CCR)*, ou l'explication d'un sigle ou d'un symbole, par exemple, *CCR (centre de conduite du réseau)*.

[...] Les crochets sont utilisés pour les inversions, par exemple, *antenne [en]* pour *en antenne*.

• Le point précède une note explicative qui suit parfois un terme et son équivalent anglais.

Français-Anglais

■ A

A (ampère)	A (ampere)
abaissement de tension, baisse volontaire de niveau de tension	voltage stepdown, voltage decrease, brownout
accord	consent
accumulateurs [batterie d']	(storage) battery
achat	purchase
acquisition unité d'acquisition et de commande (UAC)	acquisition acquisition and control unit
admittance	admittance
adresse de repérage électrique, repère électrique	location of permanent identification
adresse électrique*, voir *adresse de repérage électrique, repère électrique*	
aération, ventilation système d'aération, système de ventilation	ventilation ventilation system
aérogénérateur, éolienne	wind turbine, aerogenerator, wind generator
affichage	display

* Terme à éviter

air comprimé [système d']	compressed air system
aire	area
aire d'essai	test area
alarme	alarm
code d'alarme	alarm code
gestion des alarmes et des anomalies	alarm and fault management
tableau de signalisation d'alarmes	alarm indication table
tableau d'événements et d'alarmes	events and alarms table
ALCID (automatismes locaux et conduite par intelligence distribuée)	automatic local controls and remote control based on distributed intelligence (ALCID)
alerte	alert
cote d'alerte	alarm level
alimentation	supply
alimentation auxiliaire	auxiliary power supply
alimentation radiale (de charge)	radial feed (of load)
allumage	firing
allumage intempestif	false firing, unwanted firing
défaut d'allumage	firing failure, misfiring
alternateur	alternating-current generator, AC generator, alternator
surveillance permanente des groupes turbines-alternateurs (SUPER)	permanent monitoring of generating units (SUPER)
amenée	intake
canal d'amenée	intake canal, headrace (canal)

---

* Terme à éviter

galerie d'amenée	intake tunnel, headrace tunnel
amont	upstream
bief (d')amont	forebay
niveau (d')amont	headwater level
ouvrage (d')amont	upstream structure
amorçage (d'arc)	sparkover
amortissement	damping
résistance d'amortissement	damping resistor
ampérage*, voir *courant, intensité (de courant)*	
ampère (A)	ampere (A)
kilovolt-ampère (kVA)	kilovolt-ampere (kVA)
mégavolt-ampère (MVA)	megavolt-ampere (MVA)
ampèremètre	ammeter
amplification	amplification
amplitude	amplitude
facteur d'amplitude	amplitude factor
analyse	analysis
analyse de défaut	fault analysis
analyse de panne, étude de panne	outage analysis, outage study
année	year
année hydraulique*, voir *année hydrologique*	
année hydrologique	water year, hydrological year, rainfall year
annonciateur	annunciator

* Terme à éviter

anode	anode
antenne [en], radial	radial
production en antenne, production radiale	radial generation
appareil	apparatus
appareil de connexion, appareil de coupure	switching device
appareil de coupure, appareil de connexion	switching device
appareil de protection	protection device
appareil de sectionnement	disconnecting device
appareillage	equipment
appareillage de connexion	switchgear
appel	inrush
courant d'appel	inrush current, surge current
apports	inflow, yield, cumulative flow
apports improductifs	unproductive inflow
apports intermédiaires	local inflow, lateral inflow
apports naturels	natural inflow
apports réglés*, voir *apports régularisés*	
apports régularisés	regulated inflow
apports régulés*, voir *apports régularisés*	
apports stockés	stored inflow, stored flow
prévision d'apports	inflow forecast
arc	arc
amorçage (d'arc)	sparkover
retour d'arc	arc-back
architecture de réseau, configuration de réseau	system configuration

* Terme à éviter

armature, induit, stator	stator
armoire de commande	control cabinet, control cubicle
arrêt	shutdown
arrêt automatique	automatic shutdown
arrêt d'urgence	emergency shutdown
arrêt forcé	forced shutdown
arrêt manuel	manual shutdown
arrêt normal	normal shutdown
arrêt partiel	partial shutdown
arrêt semi-automatique	semiautomatic shutdown
réserve à l'arrêt, réserve arrêtée	standby reserve
séquence d'arrêt	shutdown sequence
asservissement	closed-loop control, feedback control
boucle d'asservissement, boucle de régulation	control loop
assistance d'urgence*, voir *entraide*	
asymétrie	asymmetry
facteur d'asymétrie	asymmetry factor
attache*, voir *interconnexion*	
attache à courant continu*, voir *interconnexion à courant continu*	
autocommutation	self-commutation
autoexcitation	self-excitation
automatisme	automatic control
automatisme de branchement	automatic connection control
automatisme de débranchement	automatic disconnection control
automatisme de déclenchement	tripping control

* Terme à éviter

automatisme de délestage	load-shedding control
automatisme d'enclenchement	automatic closing control
automatisme de réenclenchement	reclosing control
automatisme de rejet de production	automatic generation-rejection control
automatisme de séparation de réseau	system-separation control, system-partitioning control
automatisme de synchronisation	automatic synchronization control
automatisme de télédéclenchement	remote trip(ping) control, remote transfer trip
automatisme de télédélestage	remote load-shedding control
automatisme local	local automatic control
automatismes locaux et conduite par intelligence distribuée (ALCID)	automatic local controls and remote control based on distributed intelligence (ALCID)
protection temporisée associée au déclenchement de séquences de protection et d'automatisme	time-delay stopping or opening protection
autoprotection [régime d']	self-protection procedure
autorisation de travail	work permit
gestion des autorisations de travail	work permits management
autotransformateur	autotransformer
auxiliaire	auxiliary
alimentation auxiliaire	auxiliary power supply
services auxiliaires	auxiliaries, auxiliary services
aval	downstream
bief (d')aval	tailbay, afterbay
niveau (d')aval	tailwater level
avis de fin de travail	transfer of control of equipment

---
* Terme à éviter

B

bâche spirale	spiral case, spiral casing, scroll casing, scroll case
baisse	reduction
baisse de charge	load reduction
baisse de fréquence	frequency reduction, decrease in frequency
baisse de niveau (barrage)	drawdown
baisse de puissance	power reduction
baisse de tension	voltage reduction
baisse volontaire de niveau de tension, abaissement de tension	voltage stepdown, voltage decrease, brownout
banc de condensateurs*, voir *batterie de condensateurs*	
barrage	dam
barre	bar
barre blindée	metalclad busbar, shielded busbar
barre de relève*, voir *barre de réserve, barre de secours*	
barre de réserve, barre de secours	standby busbar
barre de secours, barre de réserve	standby busbar
barre omnibus	busbar
jeu de barres	busbar system, busbars

* Terme à éviter

base	base
centrale de base	base-load generating station
charge de base, puissance de base	base load
puissance de base, charge de base	base load
basse fréquence	low frequency
basse tension (BT)	low voltage (LV)
enroulement basse tension	low-voltage winding
ligne de distribution à basse tension	low-voltage distribution line
bassin versant	watershed, catchment (area)
batardeaux, poutrelles	stoplogs
battement	beat
batterie	battery
(batterie d')accumulateurs	(storage) battery
batterie de condensateurs	capacitor bank
besoin	requirement
besoins d'électricité régulière	firm-power requirements
besoins globaux	total demand, requirements, total system load
besoins prioritaires	priority requirements, primary loads
besoins prioritaires internes	internal priority requirements
besoins québécois	Québec requirements
besoins réguliers*, voir *besoins d'électricité régulière*	
bief (d')amont	forebay
bief (d')aval	tailbay, afterbay

---

* Terme à éviter

bilan	balance
bilan de puissance	power balance
bilan des échanges	exchange balance
bilan des indisponibilités	outage sheet, system outages, system outage summary
bilan des retenues	hold-off listing
bilan des retraits	integrated outage program, equipment withdrawal listing
bilan énergétique	energy balance
bille	log
passe à billes, passe à bois (flottants)	logway, log chute
bipolaire	bipolar
ligne bipolaire	bipolar line
système CCHT bipolaire	bipolar HVDC system
bipôle, dipôle	dipole
blindage	shield
blocage	blocking
blocage de convertisseur	converter blocking
blocage de pôles	pole blocking
(bobine d')inductance	inductor, reactor
bois	wood
flottage (de bois)	drive, river drive, log running
passe à bois (flottants), passe à billes	logway, log chute
boîte	box
boîte de commande*, voir *boîtier de commande*	
boîte de contrôle*, voir *boîtier de commande*	

* Terme à éviter

boîtier de commande	control box
bouchon	plug
circuit bouchon	wave trap, line trap
boucle	loop
boucle d'asservissement, boucle de régulation	control loop
boucle de contrôle*, voir *boucle d'asservissement, boucle de régulation*	
boucle de régulation, boucle d'asservissement	control loop
boucle fermée	closed loop
boucle ouverte	open loop
branchement	service drop, service loop
automatisme de branchement	automatic connection control
bretelle	jumper
BT (basse tension)	LV (low voltage)

■ C

c.a. (courant alternatif)	alternating current
câble	cable
câble de garde, fil de garde	overhead ground wire, shield wire, sky wire
câble sous-marin	submarine cable
cadenassage [méthode sectorielle de]	sectorial locking method

* Terme à éviter

calendrier d'entretien, programme d'entretien	maintenance schedule
canal	canal
canal d'amenée	intake canal, headrace (canal)
canal de fuite	tailrace (canal)
capacitance	capacitive reactance
capacité	capacity; capacitance

- *Le terme* capacity *exprime souvent la notion de puissance, mais non le terme « capacité » qui désigne plutôt la propriété de contenir une certaine quantité de substance, c'est-à-dire la contenance. C'est pourquoi, par exemple, on traduira* installed capacity *par « puissance installée » et non par « capacité installée ». Toutefois,* capacity *exprime aussi l'idée de contenance et, dans ce sens, on le traduit en français par « capacité ». Ainsi,* transmission capacity *a pour équivalent « capacité de transport ».*

capacité d'interconnexion	interconnection capacity
capacité de production	generating capability
capacité de réserve*, voir *puissance de réserve*	
capacité de transit	load-flow capacity, power-flow capacity, transfer capacity
capacité de transport	transmission capacity
capacité installée*, voir *puissance installée*	
capteur	sensor
caractéristique	characteristic
impédance caractéristique	characteristic impedance
puissance caractéristique (d'une ligne), puissance naturelle (d'une ligne)	natural load (of a line)
cathode	cathode
cavalier*, voir *bretelle*	

---

* Terme à éviter

cavitation	cavitation
c.c. (courant continu)	direct current
CCHT (courant continu à haute tension)	HVDC (high voltage direct current)
réseau CCHT	HVDC system
système CCHT bipolaire	bipolar HVDC system
système CCHT homopolaire	homopolar HVDC system
système CCHT monopolaire, système CCHT unipolaire	monopolar HVDC system, unipolar HVDC system
système CCHT unipolaire, système CCHT monopolaire	unipolar HVDC system, monopolar HVDC system
CCR (centre de conduite du réseau)	system control centre
CED (centre d'exploitation de distribution)	distribution control centre
centrale	generating station, power station, power plant, generating plant
centrale à gaz	gas-fired generating station
centrale à réserve pompée*, voir *centrale de pompage*	
centrale à réservoir	reservoir generating station
centrale à turbine(s) à gaz	gas-turbine generating station, combustion-turbine generating station
centrale au fil de l'eau	run-of-river generating station
centrale de base	base-load generating station
centrale de pointe	peak-load generating station
centrale de pompage	pumped-storage generating station
centrale diesel	diesel generating station
centrale éolienne	wind(-turbine) generating station
centrale hydraulique, centrale hydroélectrique	hydroelectric generating station

* Terme à éviter

centrale hydroélectrique, centrale hydraulique	hydroelectric generating station
centrale nucléaire	nuclear generating station
centrale thermique	thermal generating station
consommation de centrale	generating-station service
schéma de centrale	generating-station diagram
système informatisé de conduite de centrales (SICC)	station integrated computer control (SICC)
centre	centre
centre de charge*, voir *centre de consommation*	
centre de conduite du réseau (CCR)	system control centre
centre de consommation	load centre
centre de production	generation centre
centre d'exploitation de distribution (CED)	distribution control centre
centre d'exploitation régional (CER)	regional control centre
CER (centre d'exploitation régional)	regional control centre
chambre	chamber
chambre annexe*, voir *poste client*	
chambre d'équilibre, cheminée d'équilibre	surge chamber, surge tank
chambre de raccordement	splicing chamber, cable vault, manhole
chambre de sectionnement	sectionalizing chamber, disconnecting chamber
chambre de transformateurs	transformer vault, transformer manhole
changement d'état	change of state

* Terme à éviter

changeur de prises	tap changer
charge	load
baisse de charge	load reduction
charge active, charge réelle	active load, real load
charge admissible	permissible load
charge capacitive	capacitive load, leading load
charge de base, puissance de base	base load
charge délestée, puissance délestée	shed load
charge de lissage	dump load
charge déséquilibrée, charge non équilibrée	unbalanced load
charge équilibrée	balanced load
charge imaginaire, charge réactive	reactive load
charge inductive	inductive load, lagging load
charge interruptible	interruptible load
charge locale	local load
charge minimale, creux de charge	minimum load
charge non équilibrée, charge déséquilibrée	unbalanced load
charge raccordée, puissance raccordée	connected load, connected power
charge radiale	radial load
charge réactive, charge imaginaire	reactive load
charge réelle, charge active	real load, active load
courbe de charge, diagramme de charge	load curve, loading diagram
creux de charge, charge minimale	minimum load
déséquilibre de charges	load unbalance
diagramme de charge, courbe de charge	load curve, loading diagram

* Terme à éviter

diagramme de charges classées, monotone de charge(s), monotone de puissances classées, courbe de puissances classées	load duration curve
en charge	on-load

• *Terme du* ***Code d'exploitation*** *qui indique qu'une installation ou un appareil est sous tension et permet un transit d'énergie.*

facteur de charge	load factor
hors charge	off-load

• *Terme du* ***Code d'exploitation*** *qui indique qu'une installation ou un appareil est sous tension mais ne permet pas un transit d'énergie.*

mettre en charge	to put on-load

• *Terme du* ***Code d'exploitation,*** *voir à* en charge.

mettre hors charge	to put off-load

• *Terme du* ***Code d'exploitation,*** *voir à* hors charge.

mise en charge	putting on-load

• *Terme du* ***Code d'exploitation,*** *voir à* en charge.

mise hors charge	putting off-load

• *Terme du* ***Code d'exploitation,*** *voir à* hors charge.

monotone de charge(s), courbe de puissances classées, monotone de puissances classées, diagramme de charges classées	load duration curve
montée de charge, montée de puissance	load increase
perte de charge	loss of load
plan de remise en charge	restoration plan
pointe de charge	peak load
prévision de charges	load forecast
prise de charge	load restoration, load pickup
prise de charge froide	cold-load pickup
relevé de charges	log sheet
remise en charge de réseau	system restoration
report de charge, transfert de charge	load transfer

---

* Terme à éviter

transfert de charge, report de charge	load transfer
chemin de shuntage	bypass path
cheminée d'équilibre, chambre d'équilibre	surge chamber, surge tank
chute [(hauteur de)]	head
chute de tension	voltage drop
circuit	circuit
circuit bouchon	wave trap, line trap
circuit de réduction de puissance	run back
circuit de réduction-remontée automatique de puissance	bang ramp
circuit stabilisateur	stabilizating circuit
en circuit	on
hors circuit	off
mettre en circuit	to switch on
mettre hors circuit	to switch off
mise en circuit	switching on
mise hors circuit	switching off
transformateur de séparation de circuits, transformateur d'isolement	isolating transformer
claquage, décharge disruptive	electrical breakdown, disruptive discharge
client	customer
poste client	transformer vault
durée moyenne d'interruption par client (DMC)	customer average interruption duration index (CAIDI)

---

* Terme à éviter

code	code
code d'alarme	alarm code
code de retrait	outage code
code de travaux	work-safety code
code d'exploitation	operating code
combiné de mesure, transformateur combiné	combined instrument transformer, combined transformer
commande	control
armoire de commande	control cabinet, control cubicle
boîtier de commande	control box
commande à distance	remote control
commande collective	simultaneous command
commande de valeur de consigne, commande par points de consigne	set-point command
commande directe	direct control
commande locale	local control
commande par points de consigne, commande de valeur de consigne	set-point command
grandeur de commande, grandeur réglante	control variable, manipulated variable
mode d'exploitation en commande collective	simultaneous command operating mode
mode d'exploitation en commande individuelle	individual operating mode
mode d'exploitation en commande locale	local operating mode
tableau de commande	control panel, control switchboard
unité d'acquisition et de commande (UAC)	acquisition and control unit
commutateur, sélecteur	selector switch

* Terme à éviter

commutation	commutation
défaut de commutation, raté de commutation	commutation failure
indice de commutation	commutation number
inductance de commutation	commutation inductance
raté de commutation, défaut de commutation	commutation failure
réactance de commutation	commutation reactance
résistance de commutation	commutation resistance
compensateur	compensator
compensateur série	series compensator
compensateur statique	static compensator
compensateur synchrone	synchronous compensator, synchronous condenser
compensation	compensation
compensation série	series compensation
compensation shunt	shunt compensation
compensation shunt dynamique	dynamic shunt compensation
comptage	metering
compteur	meter
concordance de phases	phase coincidence, phase agreement
condamnation matérielle	tagging
condensateur	capacitor
batterie de condensateurs	capacitor bank
condensateur série	series capacitor
transformateur condensateur de tension	capacitor voltage transformer
condition	condition
condition anormale	abnormal condition
condition normale	normal condition

---
* Terme à éviter

conductance	conductance
conducteur	conductor
conducteur en faisceau, faisceau (de conducteurs)	bundle (conductor), conductor bundle, bundled conductor
danse (de conducteurs), galop (de conducteurs)	(conductor) dancing, (conductor) galloping
faisceau (de conducteurs), conducteur en faisceau	bundle (conductor), conductor bundle, bundled conductor
galop (de conducteurs), danse (de conducteurs)	(conductor) galloping, (conductor) dancing
conduction	conduction
intervalle de conduction	(valve) conduction interval
conductivité	conductivity
conduite	control
automatismes locaux et conduite par intelligence distribuée (ALCID)	automatic local controls and remote control based on distributed intelligence (ALCID)
centre de conduite du réseau (CCR)	system control centre
conduite de réseau	power system control
conduite en temps réel	real-time system control
conduite forcée	penstock
journal de conduite de réseau	system control log
système informatisé de conduite de centrales (SICC)	station integrated computer control (SICC)
unité centrale de conduite (UCC)	central control unit
configuration	configuration
configuration dégradée	degraded configuration
configuration de réseau, architecture de réseau	system configuration

* Terme à éviter

connexion	connection
appareil de connexion, appareil de coupure	switching device
appareillage de connexion	switchgear
consigne, point de consigne, valeur de consigne	set point, set value
commande de valeur de consigne, commande par points de consigne	set-point command
commande par points de consigne, commande de valeur de consigne	set-point command
consigne de débranchement d'inductance*, voir *sélection d'inductances à débrancher*	
consigne de courant	current set point
consigne de fréquence	frequency set point
consigne de puissance active	active-power set point
consigne de puissance réactive	reactive-power set point
consigne de rejet de production*, voir *sélection de groupes assujettis au rejet de production*	
consigne de sécurité	safety instruction
consigne de tension	voltage set point
consigne de vitesse	speed set point
écart de consigne	area control error
surveillance de consignes	set-point supervision
consommation	consumption
centre de consommation	load centre
consommation de centrale	generating-station service
consommation intérieure	internal system load
consommation prioritaire	priority consumption
gestion de la consommation	load management
constante de temps	time constant

---
* Terme à éviter

contingence*, voir *incident*

continuité	continuity
continuité de service	continuity of supply
indice de continuité	system average interruption duration index (SAIDI)
contournement	flashover
contrat (énergie, puissance, etc.)	contract
contrepoids	counterpoise (wire)
contrôle	check(-out), checking(-out)
fiche de contrôle des mesures de sécurité	safety checklist
conversion	conversion
conversion d'énergie électrique	conversion of electricity, conversion of electrical energy
conversion de tension	voltage conversion
groupe de conversion, groupe convertisseur, unité de conversion	converter unit
pont de conversion	converter bridge
poste de conversion, station de conversion	converter station
station de conversion, poste de conversion	converter station
unité de conversion, groupe convertisseur, groupe de conversion	converter unit
convertisseur	converter
blocage de convertisseur	converter blocking
convertisseur de fréquence	frequency converter, frequency changer

* Terme à éviter

convertisseur de phase, décaleur de phase, déphaseur	phase shifter, phase-shifting transformer
convertisseurs dos à dos	back-to-back converters
déblocage de convertisseur	converter deblocking
groupe convertisseur, groupe de conversion, unité de conversion	converter unit
transformateur de convertisseur	converter transformer
corona [effet], effet (de) couronne	corona (effect)
cote d'alerte	alarm level
coupe-circuit à fusible	fuse cutout
coupure	disconnection
appareil de coupure, appareil de connexion	switching device
pouvoir de coupure, puissance de coupure	breaking capacity, interrupting capacity
puissance de coupure, pouvoir de coupure	breaking capacity, interrupting capacity
réseau radial à coupure de ligne	sectionalized radial system
courant, intensité (de courant)	current
consigne de courant	current set point
courant alternatif (c.a.)	alternating current
courant assigné	rated current
courant continu (c.c.)	direct current
courant continu à haute tension (CCHT)	high voltage direct current (HVDC)
courant d'appel	inrush current, surge current
courant de court-circuit	short-circuit current
courant de défaut	fault current
courant nominal	nominal current

* Terme à éviter

courant porteur	carrier current
diviseur de courant	current divider
fonctionnement à courant constant	constant current operation
intensité (de courant), courant	current
interconnexion à courant alternatif	alternating-current tie, AC tie
interconnexion à courant continu	direct-current tie, DC tie
liaison à courant alternatif, liaison en courant alternatif	alternating-current link, AC link
liaison à courant continu, liaison en courant continu	direct-current link, DC link
liaison en courant alternatif, liaison à courant alternatif	alternating-current link, AC link
liaison en courant continu, liaison à courant continu	direct-current link, DC link
limite de courant	current limit
limiteur de courant	current limiter
limiteur de courant dépendant de la tension (LCDT)	low-voltage current limit (LVCL)
mode courant	current mode
protection à équilibre de courant	current-balance protection
protection à maximum de courant, protection de surintensité	overcurrent protection
protection à minimum de courant	undercurrent protection
protection directionnelle à maximum de courant alternatif	AC directional overcurrent protection
protection instantanée à maximum de courant	instantaneous overcurrent protection
protection temporisée à maximum de courant alternatif	AC time overcurrent protection

* Terme à éviter

réseau à courant alternatif	alternating-current system, AC system
surintensité (de courant)	overcurrent
transformateur de courant	current transformer
courbe	curve
courbe de charge, diagramme de charge	load curve, loading diagram
courbe de puissances classées, monotone de charge(s), monotone de puissances classées, diagramme de charges classées	load duration curve
couronne [effet (de)], effet corona	corona (effect)
pertes par effet (de) couronne	corona losses
court-circuit	short circuit
courant de court-circuit	short-circuit current
étude de court-circuit	short-circuit study
puissance de court-circuit	short-circuit capacity
court terme	short term
puissance à court terme	short-term power
très court terme	very short term
coût	cost
coût évité	decremental cost
coût marginal	marginal cost
coût supplémentaire	incremental cost
coût unitaire	unit cost
coût variable	variable cost
couvert de glace*, voir *couverture de glace*	
couverture de glace	ice cover

* Terme à éviter

crête	crest
crête déversante (d'un barrage)	crest (of a dam)
déversement en crête	free-weir discharge
creux de charge, charge minimale	minimum load
creux de tension	voltage dip
critère	criterion
critère d'exploitation	operation criterion
crue	flood
crue centenaire*, voir *crue centennale*	
crue centennale	100-year (return) flood
crue cinquantennale, crue quinquagennale	50-year (return) flood
crue décamillénaire*, voir *crue décamillennale*	
crue décamillennale	10 000-year (return) flood
crue décennale	10-year (return) flood
crue millénaire*, voir *crue millennale*	
crue millennale	1000-year (return) flood
crue quinquagennale, crue cinquantennale	50-year (return) flood
crue vicennale	20-year (return) flood
débit de crue, (débit de) hautes eaux, écoulement de crue	flood flow, flood (water) discharge, high-water discharge
écoulement de crue, (débit de) hautes eaux, débit de crue	flood flow, flood (water) discharge, high-water discharge
évacuateur de crue	spillway

- *Terme générique à employer de préférence pour désigner tous les types de dispositifs et d'ouvrages destinés à laisser passer les eaux, qu'ils soient situés à la crête d'un barrage ou ailleurs et munis ou non de vannes.*

laminage de crue	flood routing

* Terme à éviter

cuve de mesurage*, voir
combiné de mesure,
transformateur combiné

cycle	cycle

■ D

danse (de conducteurs), galop (de conducteurs)	(conductor) dancing, (conductor) galloping
débit	flow
débit de crue, (débit de) hautes eaux, écoulement de crue	flood flow, flood (water) discharge, high-water discharge
débit de flottage	discharge for logging
(débit de) hautes eaux, débit de crue, écoulement de crue	high-water discharge, flood flow, flood (water) discharge
débit de pointe	peak flow, peak discharge
débit d'équipement, débit équipé, débit maximal turbinable	maximum usable flow, plant capacity flow
débit équipé, débit d'équipement, débit maximal turbinable	maximum usable flow, plant capacity flow
débit maximal turbinable, débit équipé, débit d'équipement	maximum usable flow, plant capacity flow
débit minimal	minimum flow, minimum discharge
débit régularisé	regulated flow
débit spécifique (débit par kilomètre carré)	specific discharge
débit stocké*, voir *apports stockés*	
débit turbiné	water discharged
décalage de débit	flow lag
taux de variation de débit	flow variation rate

---

* Terme à éviter

débitmètre	flowmeter
déblocage	deblocking
déblocage de convertisseur	converter deblocking
déblocage de pôles	pole deblocking
débranchement	disconnection
automatisme de débranchement	automatic disconnection control
débrocher	to draw-out
décalage	displacement; lag
décalage angulaire, écart angulaire	angular displacement, angular deviation
décalage de débit	flow lag
décaleur de phase, déphaseur, convertisseur de phase	phase shifter, phase-shifting transformer
décharge	discharge
décharge disruptive, claquage	disruptive discharge, electrical breakdown
pouvoir de décharge	discharge capacity
déclenchement	tripping, trip
automatisme de déclenchement	tripping control
déclenchement définitif	final tripping
déclenchement intempestif	false trip
protection temporisée associée au déclenchement de séquences de protection et d'automatisme	time-delay stopping or opening protection
résistance de déclenchement	tripping resistor
séquence de déclenchement	tripping sequence
décondamnation	untagging
découplage (d'un groupe)	disconnection (of a generating unit)

---

* Terme à éviter

décrochage, perte de synchronisme, rupture de synchronisme	loss of synchronism
défaillance	failure
défaut	fault
analyse de défaut	fault analysis
courant de défaut	fault current
défaut biphasé	phase-to-phase fault, line-to-line fault
défaut biphasé à la terre, défaut biphasé-terre	two-phase-to-ground fault
défaut biphasé-terre, défaut biphasé à la terre	two-phase-to-ground fault
défaut d'allumage	firing failure, misfiring
défaut de commutation, raté de commutation	commutation failure
défaut évolutif	developing fault, evolving fault
défaut franc	dead short
défaut fugitif	transient fault
défaut intermittent	intermittent fault
défaut monophasé (à la terre), défaut phase-terre	single-line-to-ground fault, phase-to-ground fault
défaut permanent	permanent fault
défaut phase-terre, défaut monophasé (à la terre)	phase-to-ground fault, single-line-to-ground fault
défaut symétrique, défaut triphasé	symmetrical fault, three-phase fault
défaut triphasé, défaut symétrique	three-phase fault, symmetrical fault
défaut triphasé-terre	three-phase-to-ground fault
défaut virtuel	virtual fault
détecteur de défauts	fault detector
indicateur de défauts	fault indicator
localisateur de défauts	fault locator
localisation de défauts	fault location
rapport de défaut	fault report

* Terme à éviter

dégagement, garantie de non-intervention	station guarantee, condition guarantee

• *Bien qu'il soit utilisé dans le* ***Code d'exploitation****, le terme « dégagement » est employé abusivement pour désigner une « mesure par laquelle on garantit que l'on ne changera pas les conditions préétablies... ». Le terme « dégagement » signifie plutôt « libérer d'un engagement ». C'est pourquoi il y aurait lieu d'employer le terme proposé comme synonyme qui est plus conforme à la définition du* ***Code d'exploitation.***

gestion des dégagements, gestion des garanties de non-intervention	station guarantees management, condition guarantees management
degré électrique	electrical degree
délestage	load shedding
automatisme de délestage	load-shedding control
délestage automatique	automatic load shedding
délestage cyclique	cyclic load shedding
délestage en bloc	bulk load shedding
délestage manuel	manual load shedding
délestage sélectif	selective load shedding, controlled load shedding
délesteur	load-shedding device
demande (électricité)	demand
demande de retrait	outage request
gestion de la demande	demand management
prévision de la demande	load forecast
démarrage	start
démarrage automatique	automatic start
démarrage incomplet, démarrage manqué	starting failure, aborted start, unsatisfactory start
démarrage manqué, démarrage incomplet	starting failure, aborted start, unsatisfactory start
démarrage manuel	manual start
démarrage semi-automatique	semiautomatic start

---

* Terme à éviter

séquence de démarrage	start-up sequence
transformateur de démarrage	starting transformer
démontage	disassembly, dismounting
départ	line feeder
départ double	double line feeder
départ parallèle	parallel line feeder
départ préparé	line feeder ready
départ simple	single line feeder
dépassement de seuil	limit violation, limit encroachment
déphasage	phase shift, phase displacement
déphasé, hors phase	out of phase
déphaseur, décaleur de phase, convertisseur de phase	phase shifter, phase-shifting transformer
dérivation	bypass
dérivation (d'un cours d'eau)	diversion (of a river)
(ligne en) dérivation	branch line, T tap, tap-off
dérive de fréquence, glissement de fréquence	frequency drift, frequency shift
déséquilibre de charges	load unbalance
détaché du réseau	separated from system, isolated from system
détecteur de défauts	fault detector
déversement	spill, spillage
déversement en crête	free-weir discharge
déversement moyen	average spill
déversement prématuré	premature spill, early spill

---

* Terme à éviter

déversoir	uncontrolled spillway
• *Terme qui désigne uniquement un type d'« évacuateur de crue » muni ou non d'une vanne et placé en crête d'un barrage. De façon générale, il est préférable d'employer plutôt le terme générique « évacuateur de crue. »*	
hausses de déversoir, haussoir(e)	flashboards
dévolteur	negative booster
transformateur dévolteur	negative booster transformer, negative boosting transformer
diagramme	diagram
diagramme de charge, courbe de charge	loading diagram, load curve
diagramme de charges classées, monotone de charge(s), monotone de puissances classées, courbe de puissances classées	load duration curve
différé	deferred
dipôle, bipôle	dipole
directive	directive
directrice (d'une turbine)	wicket gate, guide vane
discordance de phases	phase unbalance, phase disagreement
protection de discordance de phases	phase unbalance protection, phase disagreement protection
disjoncteur	circuit breaker
disponibilité	availability
perte de disponibilité	loss of availability
taux de disponibilité	availability rate

---
* Terme à éviter

disponible	available
puissance disponible	available capacity, available power
réserve disponible	available reserve
distance	distance
commande à distance	remote control
mode d'exploitation à distance	remote operating mode
protection de distance	distance protection
signalisation à distance	remote (status) indication
distribution	distribution
centre d'exploitation de distribution (CED)	distribution control centre
inventaire du réseau de distribution	distribution system inventory
ligne de distribution (à) basse tension	low-voltage distribution line
ligne de distribution (à) moyenne tension	medium-voltage distribution line
réseau de distribution	distribution system
diversité	diversity
facteur de diversité	diversity factor
puissance de diversité	diversity power
diviseur	divider
diviseur capacitif	capacitive divider

- *Éviter d'employer ce terme pour désigner un « transformateur condensateur de tension » ; le diviseur capacitif n'est qu'un élément de celui-ci.*

diviseur de courant	current divider
diviseur de tension	voltage divider
DMC (durée moyenne d'interruption par client)	CAIDI (customer average interruption duration index)

---

* Terme à éviter

domaine	range
domaine de réglage, plage de régulation, plage réglante, plage de réglage	control range, regulation range, regulating range, setting range
durée moyenne d'interruption par client (DMC)	customer average interruption duration index (CAIDI)

E

eau	water
centrale au fil de l'eau	run-of-river generating station
(débit de) hautes eaux, débit de crue, écoulement de crue	high-water discharge, flood flow, flood (water) discharge
niveau d'eau	water level
taux de récupération d'eau	water recovery rate
valeur marginale de l'eau	marginal value of water
écart	deviation
écart angulaire, décalage angulaire	angular displacement, angular deviation
écart de consigne	area control error
écart de fréquence	frequency deviation
écart de temps	time deviation
écart de tension	voltage deviation
écart de vitesse	speed deviation
ECE (enregistreur chronologique d'événements)	SER (sequential-events recorder), SERS (sequential-events recording system), sequence-of-events recorder
échange	exchange
bilan des échanges	exchange balance
échange net	net exchange

* Terme à éviter

échange net réel	actual net exchange
échange programmé total	total programmed exchange
gestion des échanges	exchange management
journal des échanges	exchange log, transaction log
programme des échanges	exchange schedule
solde des échanges	net exchange
échauffement	temperature rise
échelon de tension	voltage step
éclateur	spark gap
économie	economy
énergie d'économie	economy energy
écoulement de crue, (débit de) hautes eaux, débit de crue	flood flow, flood (water) discharge, high-water discharge
écoulement de puissance*, voir *répartition de puissance (calculée)*	
effet corona, effet (de) couronne	corona (effect)
effet (de) couronne, effet corona	corona (effect)
pertes par effet (de) couronne	corona losses
éhaussoir*, voir *hausses de déversoir, haussoir(e)*	
électricité	electricity
besoins d'électricité régulière	firm-power requirements
électricité garantie, électricité régulière	firm (electric) power

* Terme à éviter

électricité régulière, électricité garantie	firm (electric) power
électrode de terre, prise de terre	ground electrode, grounding electrode
élévation de niveau, hausse de niveau	level rise, level increase
embrocher	to plug in
en charge	on-load

• *Terme du* ***Code d'exploitation*** *qui indique qu'une installation ou un appareil est sous tension et permet un transit d'énergie.*

en circuit	on
enclenchement	automatic closing
automatisme d'enclenchement	automatic closing control
résistance d'enclenchement	closing resistor
énergie	energy
conversion d'énergie électrique	conversion of electricity, conversion of electrical energy
énergie ad hoc	tertiary energy
énergie à la pointe	energy at peak (time)
énergie assurée	assured energy
énergie d'appoint	supplemental energy, conservation energy
énergie d'économie	economy energy
énergie de conservation*, voir *énergie d'appoint*	
énergie de remplacement (de combustible)	fuel-replacement energy, fuel-displacement energy
énergie d'inadvertance*, voir *énergie involontaire*	
énergie électrique	electric energy

* Terme à éviter

énergie en pointe*, voir *énergie à la pointe*	
énergie excédentaire	excess energy
énergie garantie	firm energy
énergie hors pointe	off-peak energy
énergie interruptible	interruptible energy
énergie involontaire	inadvertent energy
énergie supplémentaire*, voir *énergie d'appoint*	
énergie tertiaire*, voir *énergie ad hoc*	
réserve en énergie	energy reserve
surplus d'énergie	energy surplus
système de gestion d'énergie	energy management system (EMS)
en phase	in phase
enregistrement	recording
enregistreur	recorder
enregistreur chronologique d'événements (ECE)	sequential-events recorder (SER), sequential-events recording system (SERS), sequence-of-events recorder
enroulement	winding
enroulement basse tension	low-voltage winding
enroulement haute tension	high-voltage winding
enroulement primaire	primary winding
enroulement secondaire	secondary winding
enroulement tertiaire	tertiary winding
en synchronisme	in synchronism
entente	agreement
livraison selon entente	delivery as per agreement
réception selon entente	electricity received as per agreement

* Terme à éviter

entraide	mutual assistance

• *Éviter d'employer le terme « entraide mutuelle » car, par définition, « entraide » signifie déjà « aide mutuelle ».*

entraide mutuelle*, voir *entraide*

entrebarrage*, voir *verrouillage*

entrée	input
signal d'entrée	input signal
tension d'entrée, tension nouvelle	incoming voltage

entretien	maintenance
calendrier d'entretien, programme d'entretien	maintenance schedule
entretien cédulé*, voir *entretien programmé*	
entretien non cédulé*, voir *entretien non programmé*	
entretien non programmé	unscheduled maintenance
entretien programmé	scheduled maintenance
programme d'entretien, calendrier d'entretien	maintenance schedule

entretoise	spacer

éolienne, aérogénérateur	wind turbine, aerogenerator, wind generator
centrale éolienne	wind(-turbine) generating station

équilibre	balance
chambre d'équilibre, cheminée d'équilibre	surge chamber, surge tank
cheminée d'équilibre, chambre d'équilibre	surge chamber, surge tank
protection à équilibre de courant	current-balance protection

---

* Terme à éviter

protection à équilibre de tension	voltage-balance protection
équipement	equipment
débit d'équipement, débit équipé, débit maximal turbinable	maximum usable flow, plant capacity flow
parc (d'équipement) de production	generating system, generating plant
erreur de manœuvre	switching error
essai	test
aire d'essai	test area
essai de réception	acceptance test
essai en réseau	real-time test, system test
essai hors norme	non-standard test
essai hors réseau	off-system test
essai normalisé	standard(ized) test
estimateur d'état	state estimator
estimation d'état	state estimation
étalon de temps, temps standard	standard time
état	state; status
changement d'état	change of state
estimateur d'état	state estimator
estimation d'état	state estimation
état d'exploitation	operating condition
tableau d'état	state indication table
étiquette	tag
étude	study
étude de court-circuit	short-circuit study

* Terme à éviter

étude de panne, analyse de panne	outage study, outage analysis
étude de stabilité	stability study

évacuateur de crue — spillway

- *Terme générique à employer de préférence pour désigner tous les types de dispositifs et d'ouvrages destinés à laisser passer les eaux, qu'ils soient situés à la crête d'un barrage ou ailleurs et munis ou non de vannes.*

événement	event
enregistreur chronologique d'événements (ECE)	sequential-events recorder (SER), sequential-events recording system (SERS), sequence-of-events recorder
rapport d'événements	events report
tableau d'événements et d'alarmes	events and alarms table
excitation	excitation
groupe d'excitation	exciter set
système d'excitation	excitation system
transformateur d'excitation	exciter transformer
excitatrice	exciter
excursion	excursion
excursion de fréquence	frequency swing
excursion de puissance, oscillation de puissance	power swing
exploitabilité	operability
exploitation	operation
centre d'exploitation de distribution (CED)	distribution control centre
centre d'exploitation régional (CER)	regional control centre
code d'exploitation	operating code

* Terme à éviter

critère d'exploitation	operation criterion
état d'exploitation	operating condition
journal d'exploitation	operations log
mode d'exploitation à distance	remote operating mode
mode d'exploitation d'urgence	emergency operating mode
mode d'exploitation en commande collective	simultaneous command operating mode
mode d'exploitation en commande individuelle	individual operating mode
mode d'exploitation en commande locale	local operating mode
mode d'exploitation normal	normal operating mode
mode d'exploitation radial	radial operating mode
niveau maximal d'exploitation	maximum operating level
niveau minimal d'exploitation	minimum operating level
régime d'exploitation d'urgence	emergency operating conditions
régime d'exploitation normal	normal operating conditions
réserve d'exploitation	operating reserve
retrait (de l'exploitation)	withdrawal (from service)
seuil normal d'exploitation	normal operating limit
stratégie d'exploitation	operating strategy
exportation	export
perte d'exportation	loss of export
extinction d'incendie [système d']	fire-fighting system

F

facteur	factor
facteur d'amplitude	amplitude factor
facteur d'asymétrie	asymmetry factor
facteur de charge	load factor
facteur de diversité	diversity factor
facteur de pertes	loss factor

* Terme à éviter

facteur de prélèvement de réservoir	reservoir withdrawal factor
facteur de puissance	power factor
facteur d'utilisation	utilization factor
faisceau	bundle
conducteur en faisceau, faisceau (de conducteurs)	bundled conductor, bundle (conductor), conductor bundle
faisceau (de conducteurs), conducteur en faisceau	bundle (conductor), conductor bundle, bundled conductor
faisceau hertzien	microwave beam
fausse manœuvre	false trip
fermeture	closing
fermeture en phase	in-phase closing
pouvoir de fermeture	making capacity
ferrorésonance	ferroresonance
fiche de contrôle des mesures de sécurité	safety checklist
fil	wire
centrale au fil de l'eau	run-of-river generating station
fil de garde, câble de garde	overhead ground wire, shield wire, sky wire
fil pilote	pilot wire
protection par fil pilote	pilot-wire protection
filtre	filter
fin	end
avis de fin de travail	transfer of control of equipment
flèche	sag

* Terme à éviter

flottage (de bois)	drive, river drive, log running
débit de flottage	discharge for logging
fluctuation	fluctuation
fluctuation de tension, variation de tension	voltage fluctuation, voltage variation
fonctionnement	operation
fonctionnement à courant constant	constant current operation
fonctionnement à puissance constante	constant power operation
fonctionnement correct	correct operation
fonctionnement en onduleur	inverter operation, inversion, inverter mode
fonctionnement en redresseur	rectifier operation, rectification, rectifier mode
fonctionnement incorrect	misoperation, malfunction
fonctionnement intempestif	unwanted operation, nuisance operation
fosse, puits (de turbine)	(turbine) pit, wheel pit
fourniture	supply
point de fourniture, point de livraison	point of supply, delivery point
freinage	braking
résistance de freinage	braking resistor
système de freinage	braking system
fréquence	frequency
baisse de fréquence	frequency reduction, decrease in frequency
basse fréquence	low frequency
consigne de fréquence	frequency set point
convertisseur de fréquence	frequency converter, frequency changer

* Terme à éviter

dérive de fréquence, glissement de fréquence	frequency drift, frequency shift
écart de fréquence	frequency deviation
excursion de fréquence	frequency swing
fréquence (moyenne d'interruption)	system average interruption frequency index (SAIFI)
glissement de fréquence, dérive de fréquence	frequency shift, frequency drift
hausse de fréquence, montée de fréquence	increase in frequency, frequency rise
limite de fréquence	frequency limit
mode fréquence-puissance	frequency power mode, load-frequency mode
modulation de fréquence-puissance	frequency power modulation
montée de fréquence, hausse de fréquence	increase in frequency, frequency rise
oscillation de fréquence	frequency oscillation
protection de fréquence	frequency protection
réglage fréquence-puissance (RFP)	load-frequency control (LFC)
régulateur de fréquence	frequency regulator
régulateur fréquence-puissance	load-frequency controller
sous-fréquence	underfrequency
variation de fréquence	frequency variation, frequency fluctuation
front d'onde	wavefront
fuite	leakage
canal de fuite	tailrace (canal)
galerie de fuite	tailrace tunnel
fusible	fuse
coupe-circuit à fusible	fuse cutout

* Terme à éviter

G

gâchette	gate; trigger
impulsion de gâchette	gate pulse
gain	gain
optimiseur de gain	gain optimizer
superviseur de gain	gain supervisor
galerie	tunnel
galerie d'amenée	headrace tunnel, intake tunnel
galerie de fuite	tailrace tunnel
galerie sous-fluviale	river-crossing tunnel
galop (de conducteurs), danse (de conducteurs)	(conductor) galloping, (conductor) dancing
garantie	guarantee
électricité garantie, électricité régulière	firm (electric) power
énergie garantie	firm energy
garantie de non-intervention, dégagement	station guarantee, condition guarantee
gestion des garanties de non-intervention, gestion des dégagements	station guarantees management, condition guarantees management
puissance garantie	firm power, firm capacity
garde [câble de], fil de garde	overhead ground wire, shield wire, sky wire
gardienné [poste]	attended substation
gaz	gas
centrale à gaz	gas-fired generating station

---
* Terme à éviter

centrale à turbine(s) à gaz	gas-turbine generating station, combustion-turbine generating station
turbine à gaz	gas turbine
gestion	management
gestion de la consommation	load management
gestion de la demande	demand management
gestion de l'offre	supply management
gestion de réseau	system management
gestion des alarmes et des anomalies	alarm and fault management
gestion des autorisations de travail	work permits management
gestion des dégagements, gestion des garanties de non-intervention	station guarantees management, condition guarantees management
gestion des échanges	exchange management
gestion des garanties de non-intervention, gestion des dégagements	station guarantees management, condition guarantees management
gestion des retenues	hold-off management
gestion des retraits	outage management
gestion des systèmes hydriques	water-resource system management
gestion prévisionnelle des retraits	outage scheduling
système de gestion d'énergie	energy management system (EMS)
glace	ice
couverture de glace	ice cover
glissement	slip
glissement de fréquence, dérive de fréquence	frequency shift, frequency drift
graissage, lubrification	lubrication
système de graissage, système de lubrification	lubricating system

* Terme à éviter

grandeur de commande, grandeur réglante	control variable, manipulated variable
grandeur réglante, grandeur de commande	control variable, manipulated variable
grille	grid
grille de (mise à la) terre	ground grid
impulsion de grille	grid pulse
groupe	unit, set
groupe convertisseur, groupe de conversion, unité de conversion	converter unit
groupe de conversion, groupe convertisseur, unité de conversion	converter unit
groupe de valves	valve group
groupe d'excitation	exciter set
groupe électrogène	generating set
rendement de groupe	generating unit efficiency
sélection de groupes assujettis au rejet de production	generation-rejection set point
surveillance permanente des groupes turbines-alternateurs (SUPER)	permanent monitoring of generating units (SUPER)

H

harmonique	harmonic
harmonique impair	odd harmonic
harmonique pair	even harmonic
sous-harmonique	subharmonic
hauban	guy, stay

* Terme à éviter

hausse, montée	rise, increase
hausse de fréquence, montée de fréquence	increase in frequency, frequency rise
hausse de niveau, élévation de niveau	level rise, level increase
hausse de puissance	power rise, power increase
hausse de tension	voltage rise, voltage increase
hausses de déversoir, haussoir(e)	flashboards
haussoir(e), hausses de déversoir	flashboards
haute tension (HT)	high voltage (HV)
courant continu à haute tension (CCHT)	high voltage direct current (HVDC)
enroulement haute tension	high-voltage winding
(hauteur de) chute	head
hertz (Hz)	hertz (Hz)
heure	hour
heure creuse	off-peak hour
heure de pointe	peak-load hour
hors charge	off-load

- *Terme du* ***Code d'exploitation*** *qui indique qu'une installation ou un appareil est sous tension mais ne permet pas un transit d'énergie.*

hors circuit	off
hors phase, déphasé	out of phase
hors pointe	off-peak
énergie hors pointe	off-peak energy
période hors pointe	off-peak period

---

* Terme à éviter

hors synchronisme — out of synchronism

hors tension — dead, de-energized
mettre hors tension — to put off-potential
• *Terme du* ***Code d'exploitation****, voir à* mise hors tension.
mise hors tension — putting off-potential
• *Terme du* ***Code d'exploitation*** *qui désigne l'action par laquelle une installation ou un appareil cesse d'être raccordé à une source d'énergie électrique principale.*

HT (haute tension) — HV (high voltage)

hydraulicité — hydraulicity

Hz (hertz) — Hz (hertz)

I

identification permanente du réseau [système d'] — permanent system identification

îlot — island

îlotage — islanding

îloter — to island

impédance — impedance
impédance caractéristique — characteristic impedance
impédance par rapport à la terre — impedance to ground
impédance série — series impedance

importation — import
perte d'importation — loss of import

* Terme à éviter

impulsion	pulse
impulsion de gâchette	gate pulse
impulsion de grille	grid pulse
incendie [système d'extinction d']	fire-fighting system
incident	contingency
rapport d'incident	contingency report
indicateur	indicator
indicateur de défauts	fault indicator
tableau indicateur	indicator panel
indice	coefficient
indice de commutation	commutation number
indice de continuité	system average interruption duration index (SAIDI)
indice de pulsation	pulse number
indisponibilité	unavailability
bilan des indisponibilités	outage sheet, system outages, system outage summary
taux d'indisponibilité	unavailability rate
indisponible	unavailable, not available, non available
inductance	inductance
(bobine d')inductance	inductor, reactor
inductance de commutation	commutation inductance
inductance de lissage	DC reactor, smoothing reactor
inductance série	series reactor
inductance shunt	shunt reactor
sélection d'inductances à débrancher	reactor disconnection set point
inducteur, rotor	rotor

---
* Terme à éviter

induction	induction
transformateur de tension (à induction)	(inductive) voltage transformer
induit, armature, stator	stator
injection	injection
insertion	insertion
résistance d'insertion	insertion resistor
instabilité	instability
instabilité en régime dynamique	dynamic-state instability
instabilité en régime permanent	steady-state instability
instabilité en régime transitoire	transient-state instability
installation	installation; facility; plant
instruction	instruction
intensité (de courant), courant	current
interconnexion	interconnection, tie
capacité d'interconnexion	interconnection capacity
interconnexion à courant alternatif	alternating-current tie, AC tie
interconnexion à courant continu	direct-current tie, DC tie
interconnexion asynchrone	asynchronous interconnection, asynchronous tie
interconnexion synchrone	synchronous interconnection, synchronous tie
ligne d'interconnexion	interconnection line, tie line
interrupteur	switch
interrupteur de shuntage	bypass switch

---
* Terme à éviter

interruption	interruption
durée moyenne d'interruption par client (DMC)	customer average interruption duration index (CAIDI)
interruption contractuelle	contractual interruption
interruption programmée	scheduled interruption, scheduled outage, planned outage
interruption volontaire	voluntary interruption
intervalle de conduction	(valve) conduction interval
intervention	intervention
garantie de non-intervention, dégagement	station guarantee, condition guarantee
gestion des garanties de non-intervention, gestion des dégagements	station guarantees management, condition guarantees management
zone d'intervention	work area
inventaire du réseau de distribution	distribution system inventory
isolateur	insulator
transformateur type isolateur	insulator type transformer
isolé	isolated
réseau isolé	isolated system
traversée (isolée)	bushing
isolement	insulation
niveau d'isolement	insulation level
transformateur d'isolement, transformateur de séparation de circuits	isolating transformer
isoler	to isolate

---

*   Terme à éviter

J

jeu de barres	busbar system, busbars
journal (de bord)	log
journal de conduite de réseau	system control log
journal de production	generation log
journal des échanges	exchange log, transaction log
journal d'exploitation	operations log

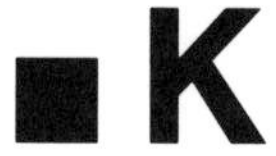

K

kilovar (kvar)	kilovar (kvar)
kilovolt (kV)	kilovolt (kV)
kilovolt-ampère (kVA)	kilovolt-ampere (kVA)
kilowatt (kW)	kilowatt (kW)
kilowattheure (kWh)	kilowatthour (kWh)
kV (kilovolt)	kV (kilovolt)
kVA (kilovolt-ampère)	kVA (kilovolt-ampere)
kvar (kilovar)	kvar (kilovar)
kW (kilowatt)	kW (kilowatt)
kWh (kilowattheure)	kWh (kilowatthour)

---

* Terme à éviter

L

laminage de crue	flood routing
largeur de bande	bandwidth
LCDT (limiteur de courant dépendant de la tension)	LVCL (low-voltage current limit)
lecture	reading
liaison	link
liaison à courant alternatif, liaison en courant alternatif	alternating-current link, AC link
liaison à courant continu, liaison en courant continu	direct-current link, DC link
liaison asynchrone	asynchronous link
liaison en courant alternatif, liaison à courant alternatif	alternating-current link, AC link
liaison en courant continu, liaison à courant continu	direct-current link, DC link
liaison hertzienne	microwave link
liaison multiterminale	multiterminal link
liaison radiale	radial link

lien*, voir *liaison*
- *Dans le* ***Code d'exploitation*** *on utilise abusivement le terme « lien ». Il serait préférable d'employer plutôt le terme « liaison » qui est beaucoup plus juste dans ce sens.*

ligne	line
ligne aérienne	overhead line
ligne bipolaire	bipolar line

* Terme à éviter

ligne bipôle*, voir *ligne bipolaire*	
ligne de distribution (à) basse tension	low-voltage distribution line
ligne de distribution (à) moyenne tension	medium-voltage distribution line
ligne de relève*, voir *ligne de réserve, ligne de secours*	
ligne de répartition	subtransmission line
ligne de réserve, ligne de secours	standby line, backup line
ligne de secours, ligne de réserve	backup line, standby line
ligne de terre	ground electrode line
ligne de transport	transmission line
ligne d'interconnexion	interconnection line, tie line
(ligne en) dérivation	branch line, T tap, tap-off
ligne monopolaire, ligne unipolaire	monopolar line, unipolar line
ligne souterraine	underground line, underground cable
ligne unipolaire, ligne monopolaire	unipolar line, monopolar line
puissance caractéristique (d'une ligne), puissance naturelle (d'une ligne)	natural load (of a line)
puissance naturelle (d'une ligne), puissance caractéristique (d'une ligne)	natural load (of a line)
réseau radial à coupure de ligne	sectionalized radial system
limite	limit
limite de courant	current limit
limite de fréquence	frequency limit
limite de production	generation limit
limite de puissance	power limit
limite de stabilité	stability limit
limite de tension	voltage limit

---

* Terme à éviter

limite de transit	transmission limit
limite de vitesse	speed limit
limiteur	limiter
limiteur de courant	current limiter
limiteur de courant dépendant de la tension (LCDT)	low-voltage current limit (LVCL)
limnimètre	water level indicator, limnimeter
lissage	smoothing
charge de lissage	dump load
inductance de lissage	DC reactor, smoothing reactor
livraison	delivery
livraison hors Québec	out-of-Québec delivery
livraison hors réseau	out-of-system delivery
livraison selon entente	delivery as per agreement
point de livraison, point de fourniture	delivery point, point of supply
programme de livraison	delivery schedule
localisateur de défauts	fault locator
localisation de défauts	fault location
long terme	long term
lubrification, graissage	lubrication
système de lubrification, système de graissage	lubricating system

* Terme à éviter

machine synchrone	synchronous machine
MALT (mise à la terre)	grounding
manœuvre	operation; switching
erreur de manœuvre	switching error
fausse manœuvre	false trip
ordre de manœuvre	switching order
plan de manœuvres	switching plan
séquence de manœuvre	operating sequence
surtension de manœuvre	switching surge, switching overvoltage
marche	operation
marche à vide	speed no-load
marche à vide en réseau	speed no-load (synchronized)
marche à vide hors réseau	speed no-load (non-synchronized)
marche en parallèle	parallel mode operation
marche en production	on-load operation
marnage	fluctuation (of water level), variation of water level
maximum	maximum
protection à maximum de courant, protection de surintensité	overcurrent protection
protection à maximum de tension, protection de surtension	overvoltage protection
protection directionnelle à maximum de courant alternatif	AC directional overcurrent protection

---

* Terme à éviter

protection instantanée à maximum de courant	instantaneous overcurrent protection
protection temporisée à maximum de courant alternatif	AC time overcurrent protection
mégavar (Mvar)	megavar (Mvar)
mégavolt-ampère (MVA)	megavolt-ampere (MVA)
mégawatt (MW)	megawatt (MW)
mégawattheure (MWh)	megawatthour (MWh)
mesurage	measuring
mesure	measure; measurement
combiné de mesure, transformateur combiné	combined instrument transformer, voltage current transformer, combined transformer
fiche de contrôle des mesures de sécurité	safety checklist
mesures d'urgence	emergency measures
tableau de mesures	readings table
transformateur de mesure	instrument transformer
méthode	procedure
méthode sectorielle de cadenassage	sectorial locking method
mettre	to put
mettre à la terre	to ground
mettre en charge	to put on-load
• *Terme du Code d'exploitation, voir à* en charge.	
mettre en circuit	to switch on
mettre en parallèle	to parallel
mettre en route	to start up
mettre hors charge	to put off-load
• *Terme du Code d'exploitation, voir à* hors charge.	

---

* Terme à éviter

mettre hors circuit	to switch off
mettre hors tension	to put off-potential

• *Terme du **Code d'exploitation**, voir à* mise hors tension.

mettre sous tension	to put on-potential

• *Terme du **Code d'exploitation**, voir à* mise sous tension.

micro-onde	microwave
minimum	minimum
protection à minimum de courant	undercurrent protection
protection à minimum de puissance	underpower protection
protection à minimum de tension, protection de sous-tension, protection de subtension	undervoltage protection
mise	placing, putting
grille de (mise à la) terre	ground grid
mise à la terre (MALT)	grounding
mise en charge	putting on-load

• *Terme du **Code d'exploitation**, voir à* en charge.

mise en circuit	switching on
mise en parallèle	paralleling
mise en route	start-up
mise hors charge	putting off-load

• *Terme du **Code d'exploitation**, voir à* hors charge.

mise hors circuit	switching off
mise hors tension	putting off-potential

• *Terme du **Code d'exploitation** qui désigne l'action par laquelle une installation ou un appareil cesse d'être raccordé à une source d'énergie électrique principale.*

mise sous tension	putting on-potential

• *Terme du **Code d'exploitation** qui désigne l'action par laquelle une installation ou un appareil est raccordé à une source d'énergie électrique principale.*

mode	mode
mode courant	current mode
mode dégradé	degraded mode

---

* Terme à éviter

mode d'exploitation à distance	remote operating mode
mode d'exploitation d'urgence	emergency operating mode
mode d'exploitation en commande collective	simultaneous command operating mode
mode d'exploitation en commande individuelle	individual operating mode
mode d'exploitation en commande locale	local operating mode
mode d'exploitation normal	normal operating mode
mode d'exploitation radial	radial operating mode
mode fréquence-puissance	frequency power mode, load-frequency mode
mode puissance	power mode
mode puissance réactive	reactive-power mode
mode risque	risk mode
mode tension	voltage mode
mode var*, voir *mode puissance réactive*	
modulation de fréquence-puissance	frequency power modulation
monophasé	single phase
défaut monophasé (à la terre), défaut phase-terre	single-line-to-ground fault, phase-to-ground fault
monopolaire, unipolaire	single pole, monopolar, unipolar
ligne monopolaire, ligne unipolaire	monopolar line, unipolar line
système CCHT monopolaire, système CCHT unipolaire	monopolar HVDC system, unipolar HVDC system
monotone de charge(s), monotone de puissances classées, courbe de puissances classées, diagramme de charges classées	load duration curve

* Terme à éviter

monotone de puissances classées, monotone de charge(s), courbe de puissances classées, diagramme de charges classées	load duration curve
montée, hausse	rise, increase
montée de charge, montée de puissance	load increase
montée de fréquence, hausse de fréquence	frequency rise, increase in frequency
montée de puissance, montée de charge	load increase
mouvement de puissance*, voir *répartition de puissance (mesurée)*	
moyenne tension (MT)	medium voltage (MV)
ligne de distribution (à) moyenne tension	medium-voltage distribution line
moyen terme	medium term
MT (moyenne tension)	MV (medium voltage)
MVA (mégavolt-ampère)	MVA (megavolt-ampere)
Mvar (mégavar)	Mvar (megavar)
MW (mégawatt)	MW (megawatt)
MWh (mégawattheure)	MWh (megawatthour)

* Terme à éviter

N

neutre	neutral
point neutre (d'un transformateur, d'un régulateur, etc.)	neutral point (of a transformer, of a regulator, etc.)
protection de neutre	neutral protection
tension phase-neutre, tension simple	phase-to-neutral voltage, line-to-neutral voltage
niveau	level
baisse de niveau (barrage)	drawdown
baisse volontaire de niveau de tension, abaissement de tension	voltage stepdown, voltage decrease, brownout
élévation de niveau, hausse de niveau	level rise, level increase
hausse de niveau, élévation de niveau	level rise, level increase
niveau (d')amont	headwater level
niveau (d')aval	tailwater level
niveau d'eau	water level
niveau de tension	voltage level
niveau d'isolement	insulation level
niveau maximal d'exploitation	maximum operating level
niveau minimal d'exploitation	minimum operating level
nœud	node
non disponibilité*, voir *indisponibilité*	
non gardienné [poste]	unattended substation
norme	standard
essai hors norme	non-standard test

* Terme à éviter

offre	supply
gestion de l'offre	supply management
onde	wave
front d'onde	wavefront
(onde) porteuse	carrier (wave)
onduleur	inverter
fonctionnement en onduleur	inverter operation, inversion, inverter mode
optimiseur de gain	gain optimizer
ordonnancement	scheduling
ordre de manœuvre	switching order
oscillation	oscillation
oscillation de fréquence	frequency oscillation
oscillation de puissance, excursion de puissance	power swing
oscillation de tension	voltage oscillation
oscillographe	oscillograph
oscilloperturbographe	disturbance recorder
ouverture	opening

* Terme à éviter

ouvrage	structure
ouvrage (d')amont	upstream structure
ouvrage de contrôle*, voir *ouvrage de régulation, ouvrage réulateur*	
ouvrage de régulation, ouvrage régulateur	control structure, control works
ouvrage hydraulique	hydraulic structure
ouvrage régulateur, ouvrage de régulation	control structure, control works

P

paire de shuntage	bypass pair
panne	power failure; outage; blackout
analyse de panne, étude de panne	outage analysis, outage study
étude de panne, analyse de panne	outage study, outage analysis
panneau de commande*, voir *tableau de commande*	
panneau de protection*, voir *tableau de protection*	
papillotement	flicker
parafoudre	surge arrester, surge diverter
parallèle	parallel
départ parallèle	parallel line feeder
marche en parallèle	parallel mode operation
mettre en parallèle	to parallel
mise en parallèle	paralleling

* Terme à éviter

résonance parallèle	parallel resonance
parc (d'équipement) de production	generating system, generating plant
par unité (p.u.), pour un	per unit (p.u.)
passe à billes, passe à bois (flottants)	logway, log chute
passe à bois (flottants), passe à billes	logway, log chute
passe à poissons	fish pass, fishway
pendulaison, pompage	hunting
période	period
période creuse, période hors pointe	off-peak period
période de pointe	peak period
période hors pointe, période creuse	off-peak period
permutateur	changeover switch, throw-over switch
permutation	throw over, automatic transfer
perte	loss
facteur de pertes	loss factor
perte de charge	loss of load
perte de disponibilité	loss of availability
perte de production	loss of (generating) capacity
perte de synchronisme, rupture de synchronisme, décrochage	loss of synchronism
perte d'exportation	loss of export

---

* Terme à éviter

perte d'importation	loss of import
pertes (électriques)	(electric) losses
pertes par effet (de) couronne	corona losses
pertes réactives	reactive losses
pertes résistives	resistive losses
perturbation	disturbance
phase	phase
concordance de phases	phase coincidence, phase agreement
convertisseur de phase, décaleur de phase, déphaseur	phase shifter, phase-shifting transformer
décaleur de phase, déphaseur, convertisseur de phase	phase shifter, phase-shifting transformer
défaut phase-terre, défaut monophasé (à la terre)	phase-to-ground fault, single-line-to-ground fault
discordance de phases	phase unbalance, phase disagreement
en phase	in phase
fermeture en phase	in-phase closing
hors phase, déphasé	out of phase
protection de discordance de phases	phase unbalance protection, phase disagreement protection
protection de phase	phase protection
tension entre phases, tension phase-phase, tension composée	phase-to-phase voltage, line-to-line voltage, line voltage
tension phase-neutre, tension simple	phase-to-neutral voltage, line-to-neutral voltage
tension phase-phase, tension entre phases, tension composée	phase-to-phase voltage, line-to-line voltage, line voltage
tension phase-terre	phase-to-ground voltage, line-to-ground voltage
transposition (de phases)	(phase) transposition, phase rotation
phénomène transitoire	transient phenomenon

* Terme à éviter

pilote	pilot
fil pilote	pilot wire
protection par fil pilote	pilot-wire protection
plage	range
plage de réglage, plage réglante, plage de régulation, domaine de réglage	control range, regulation range, regulating range, setting range
plage de régulation, plage de réglage, plage réglante, domaine de réglage	regulation range, regulating range, control range, setting range
plage de tension	voltage range
plage réglante, plage de réglage, plage de régulation, domaine de réglage	control range, regulation range, regulating range, setting range
plan	plan
plan de manœuvres	switching plan
plan de production	generation planning
plan de remise en charge	restoration plan
plan des retraits	outage plan
plan d'urgence	emergency plan
plaque signalétique	nameplate, rating plate
point	point
commande par points de consigne, commande de valeur de consigne	set-point command
point chaud	hot spot
point de consigne, consigne, valeur de consigne	set point, set value
point de fourniture, point de livraison	point of supply, delivery point
point de livraison, point de fourniture	delivery point, point of supply
point de raccordement	connection point

* Terme à éviter

point neutre (d'un transformateur, d'un régulateur, etc.)	neutral point (of a transformer, of a regulator, etc.)
pointe	peak
centrale de pointe	peak-load generating station
débit de pointe	peak flow, peak discharge
énergie à la pointe	energy at peak (time)
énergie hors pointe	off-peak energy
heure de pointe	peak-load hour
hors pointe	off-peak
période de pointe	peak period
période hors pointe, période creuse	off-peak period
pointe de charge	peak load
puissance de pointe	peak power
poisson	fish
passe à poissons	fish pass, fishway
pôle	pole
blocage de pôles	pole blocking
déblocage de pôles	pole deblocking
pompage, pendulaison	hunting
centrale de pompage	pumped-storage generating station
pont	bridge
pont bêche	negative rectifier bridge
pont de conversion	converter bridge
pont tête	positive rectifier bridge
porteuse [(onde)]	carrier (wave)
poste	substation
poste annexe*, voir *poste client*	
poste client	transformer vault

---

* Terme à éviter

poste de conversion, station de conversion	converter station
poste (électrique)	(electric) substation
poste fixe (de radiocommunications), station fixe (de radiocommunications)	fixed radio station
poste gardienné	attended substation
poste maître (de téléconduite)	master station
poste mobile (de radiocommunications), station mobile (de radiocommunications)	mobile radio station
poste non gardienné	unattended substation
poste satellite (de téléconduite)	satellite station
schéma de poste	substation diagram
poteau	pole
potentiel*, voir *tension*	
pour un (p.u.), par unité	per unit (p.u.)
poutrelles, batardeaux	stoplogs
pouvoir de coupure, puissance de coupure	breaking capacity, interrupting capacity
pouvoir de décharge	discharge capacity
pouvoir de fermeture	making capacity
prélèvement	draw-off
facteur de prélèvement de réservoir	reservoir withdrawal factor
prévision	forecast
prévision d'apports	inflow forecast
prévision de charges	load forecast
prévision de la demande	load forecast

* Terme à éviter

prévision de production	generation forecast
prise	tap
changeur de prises	tap changer
prise de charge	load restoration, load pickup
prise de charge froide	cold-load pickup
prise de réglage	transformer tap
prise de terre, électrode de terre	ground electrode, grounding electrode
sélecteur de prise	tap selector
producteur autonome, producteur indépendant	independent power producer (IPP), small power producer
producteur indépendant, producteur autonome	independent power producer (IPP), small power producer
productibilité	energy capability
production	generation
automatisme de rejet de production	automatic generation-rejection control
capacité de production	generating capability
centre de production	generation centre
journal de production	generation log
limite de production	generation limit
marche en production	on-load operation
parc (d'équipement) de production	generating system, generating plant
perte de production	loss of (generating) capacity
plan de production	generation planning
prévision de production	generation forecast
production brute (d'une centrale)	gross generation (of a generating station)
production combinée (de chaleur et d'électricité)	cogeneration
production en antenne, production radiale	radial generation

* Terme à éviter

production nette (d'une centrale)	net generation (of a generating station)
production radiale, production en antenne	radial generation
programme de production	generation schedule
réglage de production	generation control
rejet de production	generation shedding, generation dropping, generation rejection
rejet de production automatique	automatic generation rejection
rejet de production manuel	manual generation rejection
répartition de production	generation dispatching
réseau de production et de transport, réseau de production-transport	generation and transmission system, bulk power system
réseau de production-transport, réseau de production et de transport	bulk power system, generation and transmission system
sélection de groupes assujettis au rejet de production	generation-rejection set point
profil de tension	voltage profile
programme	program, schedule
programme d'entretien, calendrier d'entretien	maintenance schedule
programme de production	generation schedule
programme de restauration de service*, voir *programme de rétablissement de service*	
programme de rétablissement de service	service restoration schedule
programme des échanges	exchange schedule
programme de livraison	delivery schedule
programme des retraits	outage schedule
protection	protection
appareil de protection	protection device

---
* Terme à éviter

protection (à action) différée, protection temporisée	time-delay protection
protection (à action) lente	slow-acting protection, slow-operating protection, retarded protection, inverse protection
protection à équilibre de courant	current-balance protection
protection à équilibre de tension	voltage-balance protection
protection à maximum de courant, protection de surintensité	overcurrent protection
protection à maximum de tension, protection de surtension	overvoltage protection
protection à minimum de courant	undercurrent protection
protection à minimum de puissance	underpower protection
protection à minimum de tension, protection de sous-tension, protection de subtension	undervoltage protection
protection de discordance de phases	phase unbalance protection, phase disagrement protection
protection de distance	distance protection
protection de fréquence	frequency protection
protection de neutre	neutral protection
protection de phase	phase protection
protection de puissance directionnelle	directional power protection
protection d'équilibre de courant*, voir *protection à équilibre de courant*	
protection d'équilibre de tension*, voir *protection à équilibre de tension*	

* Terme à éviter

protection de réserve, protection de secours	backup protection
protection de secours, protection de réserve	backup protection
protection de sous-tension, protection à minimum de tension, protection de subtension	undervoltage protection
protection de subtension, protection à minimum de tension, protection de sous-tension	undervoltage protection
protection de surintensité, protection à maximum de courant	overcurrent protection
protection de surtension, protection à maximum de tension	overvoltage protection
protection différentielle	differential protection
protection directionnelle à maximum de courant alternatif	AC directional overcurrent protection
protection instantanée, protection rapide	instantaneous protection
protection instantanée à maximum de courant	instantaneous overcurrent protection
protection instantanée à temps de croissance	instantaneous rate-of-rise protection
protection par fil pilote	pilot-wire protection
protection primaire*, voir *protection principale*	
protection principale	main protection, primary protection
protection rapide, protection instantanée	instantaneous protection
protection temporisée, protection (à action) différée	time-delay protection

* Terme à éviter

protection temporisée à maximum de courant alternatif	AC time overcurrent protection
protection temporisée associée au déclenchement de séquences de protection et d'automatisme	time-delay stopping or opening protection
tableau de protection	protection panel
p.u. (pour un, par unité)	p.u. (per unit)
puissance	power; capacity; demand
baisse de puissance	power reduction
bilan de puissance	power balance
circuit de réduction de puissance	run back
circuit de réduction-remontée automatique de puissance	bang ramp
consigne de puissance active	active-power set point
consigne de puissance réactive	reactive-power set point
courbe de puissances classées, monotone de charge(s), monotone de puissances classées, diagramme de charges classées	load duration curve
excursion de puissance, oscillation de puissance	power swing
facteur de puissance	power factor
fonctionnement à puissance constante	constant power operation
hausse de puissance	power rise, power increase
limite de puissance	power limit
mode fréquence-puissance	frequency power mode, load-frequency mode
mode puissance	power mode
mode puissance réactive	reactive-power mode
modulation de fréquence-puissance	frequency power modulation

* Terme à éviter

monotone de puissances classées, monotone de charge(s), courbe de puissances classées, diagramme de charges classées	load duration curve
montée de puissance, montée de charge	load increase
oscillation de puissance, excursion de puissance	power swing
protection à minimum de puissance	underpower protection
protection de puissance directionnelle	directional power protection
puissance à court terme	short-term power
puissance active, puissance réelle	active power
puissance apparente	apparent power
puissance appelée	demand set up, demand power
puissance assignée	rated power, rated capacity
puissance capacitive	capacitive power
puissance captive	bottled power, bottled capacity, locked-in power, locked-in capacity
puissance caractéristique (d'une ligne), puissance naturelle (d'une ligne)	natural load (of a line)
puissance de base, charge de base	base load
puissance de capacité*, voir *puissance de soutien*	
puissance de coupure, pouvoir de coupure	breaking capacity, interrupting capacity
puissance de court-circuit	short-circuit capacity
puissance de diversité	diversity power
puissance délestée, charge délestée	shed load
puissance de pointe	peak power

* Terme à éviter

puissance de réserve	reserve capacity
puissance de soutien	capacity power, emergency power
puissance disponible	available capacity, available power
puissance d'urgence*, voir *puissance de soutien*	
puissance embouteillée*, voir *puissance captive*	
puissance garantie	firm power, firm capacity
puissance imaginaire, réactif, puissance réactive	reactive power, wattless power
puissance inductive	inductive power
puissance installée	installed capacity
puissance interruptible	interruptible power
puissance maximale	maximum power, maximum capacity
puissance minimale	minimum power, minimum capacity
puissance naturelle (d'une ligne), puissance caractéristique (d'une ligne)	natural load (of a line)
puissance nominale	nominal capacity
puissance raccordée, charge raccordée	connected power, connected load
puissance réactive, réactif, puissance imaginaire	reactive power, wattless power
puissance réelle, puissance active	active power
puissance réglante	reserve on automatic generation control
réglage fréquence-puissance (RFP)	load-frequency control (LFC)
régulateur de puissance	power regulator
régulateur de puissance réactive	reactive-power regulator
régulateur fréquence-puissance	load-frequency controller

* Terme à éviter

répartition de puissance (calculée)	load flow, power flow

• *À Hydro-Québec, on emploie ce terme pour désigner l'ensemble des « transits de puissance » qui ont été calculés pour un réseau.*

répartition de puissance (mesurée)	load flow, power flow

• *À Hydro-Québec, on emploie ce terme pour désigner l'ensemble des « transits de puissance » qui ont circulé dans un réseau.*

réserve en puissance	power reserve
stabilisateur de puissance	power stabilizer
surplus de puissance	power surplus
taux de variation de puissance	power variation rate
transformateur de puissance	power transformer
transit de puissance	load flow, power flow
variation de puissance	power variation, power fluctuation

puits	shaft
puits d'accès*, voir *chambre de raccordement*	
puits de sectionnement*, voir *chambre de sectionnement*	
puits de transformation*, voir *chambre de transformateurs*	
puits (de turbine), fosse	(turbine) pit, wheel pit

pulsation	pulse
indice de pulsation	pulse number

pylône	tower

Q

qualité de service	quality of service

* Terme à éviter

R

raccordement	connection
chambre de raccordement	splicing chamber, cable vault, manhole
point de raccordement	connection point
raccorder	to connect
radial, en antenne	radial
alimentation radiale (de charge)	radial feed (of load)
charge radiale	radial load
liaison radiale	radial link
mode d'exploitation radial	radial operating mode
production radiale, production en antenne	radial generation
réseau radial	radial system
réseau radial à coupure de ligne	sectionalized radial system
radiocommunication	radiocommunication
poste fixe (de radiocommunications), station fixe (de radiocommunications)	fixed radio station
poste mobile (de radiocommunications), station mobile (de radiocommunications)	mobile radio station
station fixe (de radiocommunications), poste fixe (de radiocommunications)	fixed radio station
station mobile (de radiocommunications), poste mobile (de radiocommunications)	mobile radio station

---
* Terme à éviter

rappel, réarmement	reset
rapport	report
rapport de défaut	fault report
rapport d'événements	events report
rapport d'incident	contingency report
raté de commutation, défaut de commutation	commutation failure
réactance	reactance
réactance*, voir *(bobine d')inductance*	
réactance de commutation	commutation reactance
réactif, puissance réactive, puissance imaginaire	reactive power, wattless power
réarmement, rappel	reset
réception	electricity received
réception selon entente	electricity received as per agreement
essai de réception	acceptance test
récupération	recovery
taux de récupération d'eau	water recovery rate
redresseur	rectifier
fonctionnement en redresseur	rectifier operation, rectification, rectifier mode
réduction	reduction
circuit de réduction de puissance	run back
circuit de réduction-remontée automatique de puissance	bang ramp

* Terme à éviter

réenclenchement	reclosing
automatisme de réenclenchement	reclosing control
réenclencheur	recloser, reclosing device
refus de démarrage*, voir *démarrage incomplet, démarrage manquée*	
régime	operating conditions; state
instabilité en régime dynamique	dynamic-state instability
instabilité en régime permanent	steady-state instability
instabilité en régime transitoire	transient-state instability
régime d'autoprotection	self-protection procedure
régime déséquilibré	unbalanced state
régime d'exploitation d'urgence	emergency operating conditions
régime d'exploitation normal	normal operating conditions
régime dynamique	dynamic state
régime établi, régime permanent	steady state
régime nominal	rating
régime permanent, régime établi	steady state
régime sous-transitoire, régime subtransitoire	sub-transient state
régime subtransitoire, régime sous-transitoire	sub-transient state
régime transitoire	transient state
stabilité (en régime) dynamique	dynamic stability
stabilité en régime permanent, stabilité statique	steady-state stability, static stability
stabilité (en régime) transitoire	transient stability
réglage	adjustment; control; setting
domaine de réglage, plage de régulation, plage réglante, plage de réglage	control range, regulation range, regulating range, setting range

* Terme à éviter

plage de réglage, plage réglante, plage de régulation, domaine de réglage	control range, regulation range, regulating range, setting range
prise de réglage	transformer tap
réglage de production	generation control
réglage de tension	voltage regulation, voltage control
réglage fréquence-puissance (RFP)	load-frequency control (LFC)
régularisation hydraulique	hydraulic control, hydraulic regulation
régulateur	regulator
ouvrage régulateur, ouvrage de régulation	control structure, control works
régulateur de fréquence	frequency regulator
régulateur de puissance	power regulator
régulateur de puissance réactive	reactive-power regulator
régulateur de tension	voltage regulator
régulateur de vitesse	(speed) governor
régulateur fréquence-puissance	load-frequency controller
régulation	regulation
boucle de régulation, boucle d'asservissement	control loop
ouvrage de régulation, ouvrage régulateur	control structure, control works
plage de régulation, plage de réglage, plage réglante, domaine de réglage	regulation range, regulating range, control range, setting range
régulation de tension*, voir *réglage de tension*	
régulation hydraulique*, voir *régularisation hydraulique*	
rejet	rejection
automatisme de rejet de production	automatic generation-rejection control

* Terme à éviter

rejet de production	generation shedding, generation dropping, generation rejection
rejet de production automatique	automatic generation rejection
rejet de production manuel	manual generation rejection
sélection de groupes assujettis au rejet de production	generation-rejection set point
rejeter	to reject
relais	relay
relevé de charges	log sheet
remise en charge de réseau	system restoration
plan de remise en charge	restoration plan
rendement de groupe	generating unit efficiency
renseignement technique	technical information
répartition	subtransmission
ligne de répartition	subtransmission line
répartition de production	generation dispatching
répartition de puissance (calculée)	load flow, power flow

• *À Hydro-Québec, on emploie ce terme pour désigner l'ensemble des « transits de puissance » qui ont été calculés pour un réseau.*

répartition de puissance (mesurée)	load flow, power flow

• *À Hydro-Québec, on emploie ce terme pour désigner l'ensemble des « transits de puissance » qui ont circulé dans un réseau.*

réseau de répartition	subtransmission system
repère électrique, adresse de repérage électrique	location of permanent identification

* Terme à éviter

report de charge, transfert de charge	load transfer
réseau	(power) system; area
architecture de réseau, configuration de réseau	system configuration
automatisme de séparation de réseau	system-separation control, system-partitioning control
centre de conduite du réseau (CCR)	system control centre
conduite de réseau	power system control
configuration de réseau, architecture de réseau	system configuration
détaché du réseau	separated from system, isolated from system
essai en réseau	real-time test, system test
essai hors réseau	off-system test
gestion de réseau	system management
inventaire du réseau de distribution	distribution system inventory
journal de conduite de réseau	system control log
livraison hors réseau	out-of-system delivery
marche à vide en réseau	speed no-load (synchronized)
marche à vide hors réseau	speed no-load (non-synchronized)
remise en charge de réseau	system restoration
réseau à courant alternatif	alternating-current system, AC system
réseau autonome	autonomous electrical system
réseau CCHT	HVDC system
réseau de distribution	distribution system
réseau de production et de transport, réseau de production-transport	generation and transmission system, bulk power system
réseau de production-transport, réseau de production et de transport	bulk power system, generation and transmission system
réseau de répartition	subtransmission system
réseau d'Hydro-Québec	Hydro-Québec system

* Terme à éviter

réseau électrique	electrical system
réseau îloté	islanded system
réseau intégré	integrated system
réseau interconnecté	interconnected system
réseau isolé	isolated system
réseau maillé	grid (system), mesh(ed) system
réseau non relié*, voir *réseau autonome*	
réseau principal	main system
réseau radial	radial system
réseau radial à coupure de ligne	sectionalized radial system
réseau synchrone	synchronized system
réseau voisin	neighboring system
système d'identification permanente du réseau	permanent system identification
temps réseau, temps synchrone	system time
topologie de réseau	system topology
réserve	reserve
barre de réserve, barre de secours	standby busbar
ligne de réserve, ligne de secours	standby line, backup line
protection de réserve, protection de secours	backup protection
puissance de réserve	reserve capacity
réserve à l'arrêt, réserve arrêtée	standby reserve
réserve arrêtée, réserve à l'arrêt	standby reserve
réserve d'exploitation	operating reserve
réserve disponible	available reserve
réserve en énergie	energy reserve
réserve en puissance	power reserve
réserve hydraulique	hydraulic reserve
réserve réglante, réserve synchronisée, réserve tournante	synchronized reserve, spinning reserve

* Terme à éviter

réserve synchronisée, réserve tournante, réserve réglante	synchronized reserve, spinning reserve
réserve thermique	thermal reserve
réserve tournante, réserve synchronisée, réserve réglante	spinning reserve, synchronized reserve
réserve utile (réservoir)	active storage (reservoir)
réservoir	reservoir
centrale à réservoir	reservoir generating station
facteur de prélèvement de réservoir	reservoir withdrawal factor
résistance	resistance; resistor
résistance d'amortissement	damping resistor
résistance de commutation	commutation resistance
résistance de déclenchement	tripping resistor
résistance de freinage	braking resistor
résistance d'enclenchement	closing resistor
résistance d'insertion	insertion resistor
résistivité	resistivity
résonance	resonance
résonance hyposynchrone, résonance sous-synchrone	subsynchronous resonance
résonance parallèle	parallel resonance
résonance sous-synchrone, résonance hyposynchrone	subsynchronous resonance
restauration de service*, voir *rétablissement de service*	
restriction	restriction
tableau des restrictions	restrictions table

* Terme à éviter

rétablissement de service	service restoration
programme de rétablissement de service	service restoration schedule
rétablisseur de service	service restorer
retard	lag(ging); delay
retenue	hold-off
bilan des retenues	hold-off listing
gestion des retenues	hold-off management
retour	reset
retour d'arc	arc-back
retour métallique	metallic return
retour par la mer	sea return
retour par la terre	earth return
retrait	withdrawal
bilan des retraits	integrated outage program, equipment withdrawal listing
code de retrait	outage code
demande de retrait	outage request
gestion des retraits	outage management
gestion prévisionnelle des retraits	outage scheduling
plan des retraits	outage plan
programme des retraits	outage schedule
retrait (de l'exploitation)	withdrawal (from service)
RFP (réglage fréquence-puissance)	LFC (load-frequency control)
risque	risk
mode risque	risk mode
rotor, inducteur	rotor

* Terme à éviter

route	route
mettre en route	to start up
mise en route	start-up
rupture de synchronisme, perte de synchronisme, décrochage	loss of synchronism

S

saturation	saturation
schéma	diagram
schéma de centrale	generating-station diagram
schéma de poste	substation diagram
schéma de principe	schematic diagram
schéma fonctionnel	block diagram, functional diagram
schéma synoptique	mimic diagram
schéma unifilaire	single-line diagram, one-line diagram
secours	relief
barre de secours, barre de réserve	standby busbar
ligne de secours, ligne de réserve	backup line, standby line
protection de secours, protection de réserve	backup protection
sectionnement	sectionalizing
appareil de sectionnement	disconnecting device
chambre de sectionnement	sectionalizing chamber, disconnecting chamber
sectionneur	disconnecting switch, isolating switch, disconnector

---

* Terme à éviter

sécurité	safety
consigne de sécurité	safety instruction
fiche de contrôle des mesures de sécurité	safety checklist
sélecteur, commutateur	selector switch
sélecteur de prise	tap selector
sélecteur de tension*, voir *sélecteur de prise*	
sélection de groupes assujettis au rejet de production	generation-rejection set point
sélection d'inductances à débrancher	reactor disconnection set point
séparation	separation
automatisme de séparation de réseau	system-separation control, system-partitioning control
transformateur de séparation de circuits, transformateur d'isolement	isolating transformer
séquence	sequence
protection temporisée associée au déclenchement de séquences de protection et d'automatisme	time-delay stopping or opening protection
séquence d'arrêt	shutdown sequence
séquence de déclenchement	tripping sequence
séquence de démarrage	start-up sequence
séquence de manœuvre	operating sequence
série	series
compensateur série	series compensator
compensation série	series compensation
condensateur série	series capacitor
impédance série	series impedance

* Terme à éviter

inductance série	series reactor
service	service
continuité de service	continuity of supply
programme de rétablissement de service	service restoration schedule
qualité de service	quality of service
rétablissement de service	service restoration
rétablisseur de service	service restorer
services auxiliaires	auxiliaries, auxiliary services
seuil	threshold
dépassement de seuil	limit violation, limit encroachment
seuil fixe	fixed limit
seuil normal d'exploitation	normal operating limit
seuil variable	variable limit
tableau des seuils	limits table
shunt	shunt
compensation shunt	shunt compensation
compensation shunt dynamique	dynamic shunt compensation
inductance shunt	shunt reactor
shuntage	shunting
chemin de shuntage	bypass path
interrupteur de shuntage	bypass switch
paire de shuntage	bypass pair
SICC (système informatisé de conduite de centrales)	SICC (station integrated computer control)
signal	signal
signal d'entrée	input signal
signal de réaction	feedback signal
signal de sortie	output signal
signalisation	indication, signaling
signalisation à distance	remote (status) indication

---
* Terme à éviter

signalisation en télécommande	telecontrolled (status) indication
signalisation locale	local (status) indication
tableau de signalisation d'alarmes	alarm indication table
simulateur	simulator
solde des échanges	net exchange
solde exportateur	net export
sortie	output
signal de sortie	output signal
sous-fréquence	underfrequency
sous-harmonique	subharmonic
sous-tension, subtension	undervoltage
protection de sous-tension, protection à minimum de tension, protection de subtension	undervoltage protection
sous-vitesse	underspeed
spécification	specification
stabilisateur	stabilizer
circuit stabilisateur	stabilizing circuit
stabilisateur de puissance	power stabilizer
stabilité	stability
étude de stabilité	stability study
limite de stabilité	stability limit
stabilité (en régime) dynamique	dynamic stability
stabilité en régime permanent, stabilité statique	steady-state stability, static stability

* Terme à éviter

stabilité (en régime) transitoire	transient stability
stabilité statique, stabilité en régime permanent	static stability, steady-state stability
station	station
station de conversion, poste de conversion	converter station
station fixe (de radiocommunications), poste fixe (de radiocommunications)	fixed radio station
station mobile (de radiocommunications), poste mobile (de radiocommunications)	mobile radio station
station terminale	terminal station
statisme	droop
stator, induit, armature	stator
stratégie d'exploitation	operating strategy
subtension, sous-tension	undervoltage
protection de subtension, protection à minimum de tension, protection de sous-tension	undervoltage protection
SUPER (surveillance permanente des groupes turbines-alternateurs)	permanent monitoring of generating units (SUPER)
superviseur de gain	gain supervisor
surcharge	overload
surfréquence	overfrequency

---

*   Terme à éviter

surintensité (de courant) — overcurrent
protection de surintensité, protection à maximum de courant — overcurrent protection

surplus d'énergie — energy surplus

surplus de puissance — power surplus

surpuissance — excess of rating, exceeding rating

surtension — overvoltage
protection de surtension, protection à maximum de tension — overvoltage protection
surtension de manœuvre — switching surge, switching overvoltage
surtension permanente — permanent overvoltage
surtension transitoire — transient overvoltage

surveillance — supervision; monitoring
surveillance de consignes — set-point supervision
surveillance permanente des groupes turbines-alternateurs (SUPER) — permanent monitoring of generating units (SUPER)

survitesse — overspeed

survolteur — positive booster
transformateur survolteur — (positive) booster transformer

susceptance — susceptance

symétrie — symmetry

---

*   Terme à éviter

synchronisateur*, voir *synchroniseur*
synchronisateur automatique*, voir *synchronoscope*

synchronisation	synchronization, synchronizing
automatisme de synchronisation	automatic synchronization control
synchronisation automatique	automatic synchronization, automatic synchronizing
synchronisation manuelle	manual synchronization, manual synchronizing
synchroniser	to synchronize
synchroniseur	synchronizer
synchronisme	synchronism
en synchronisme	in synchronism
hors synchronisme	out of synchronism
perte de synchronisme, rupture de synchronisme, décrochage	loss of synchronism
rupture de synchronisme, perte de synchronisme, décrochage	loss of synchronism
synchronoscope	synchroscope
synchronoscope automatique	automatic synchroscope, automatic synchronizer

synchroscope*, voir *synchronoscope*
synchroscope automatique*, voir *synchronoscope automatique*

syntonisation	tuning

* Terme à éviter

système	system
gestion des systèmes hydriques	water-resource system management
système CCHT bipolaire	bipolar HVDC system
système CCHT homopolaire	homopolar HVDC system
système CCHT monopolaire, système CCHT unipolaire	monopolar HVDC system, unipolar HVDC system
système CCHT unipolaire, système CCHT monopolaire	unipolar HVDC system, monopolar HVDC system
système d'aération, système de ventilation	ventilation system
système d'air comprimé	compressed air system
système de freinage	braking system
système de gestion d'énergie	energy management system (EMS)
système de graissage, système de lubrification	lubricating system
système de lubrification, système de graissage	lubricating system
système de pressurisation	pressurization system
système de refroidissement	cooling system
système de ventilation, système d'aération	ventilation system
système d'excitation	excitation system
système d'extinction d'incendie	fire-fighting system
système d'identification permanente du réseau	permanent system identification
système hydrique	water-resource system
système informatisé de conduite de centrales (SICC)	station integrated computer control (SICC)

T

tableau	board, panel; table
tableau de bord*, voir *tableau synoptique*	
tableau de commande	control panel, control switchboard

* Terme à éviter

tableau de mesures	readings table
tableau de protection	protection panel
tableau de signalisation d'alarmes	alarm indication table
tableau des restrictions	restrictions table
tableau des seuils	limits table
tableau des transits maximaux, tableau des transits maximums	maximum flow table
tableau des transits maximums, tableau des transits maximaux	maximum flow table
tableau d'état	state indication table
tableau d'événements et d'alarmes	events and alarms table
tableau indicateur	indicator panel
tableau synoptique	mimic diagram board
taux	rate
taux de disponibilité	availability rate
taux d'emmagasinement	storage rate
taux de récupération d'eau	water recovery rate
taux de variation de débit	flow variation rate
taux de variation de puissance	power variation rate
taux de variation de tension	voltage variation rate
taux d'indisponibilité	unavailability rate
téléaccélération	permissive transfer trip
téléblocage	directional comparison blocking
télécommande	telecommand
signalisation en télécommande	telecontrolled (status) indication
télécommande en ligne*, voir *télécommande*	
téléconduite	telecontrol
unité de téléconduite (UT)	telecontrol unit

* Terme à éviter

télédéclenchement	remote trip(ping), transfer trip(ping)
automatisme de télédéclenchement	remote trip(ping) control, remote transfer trip
télédélestage	remote load shedding
automatisme de télédélestage	remote load-shedding control
téléenclenchement	remote close, remote closing
télélecture (des compteurs)	remote reading (of meters)
télémesure	telemetering, telemeasuring
téléprotection	remote tripping system
télésignalisation	teleindication, remote indication
temps	time
conduite en temps réel	real-time system control
constante de temps	time constant
écart de temps	time deviation
étalon de temps, temps standard	standard time
protection instantanée à temps de croissance	instantaneous rate-of-rise protection
temps de réponse	response time
temps réel	real time
temps réseau, temps synchrone	system time
temps standard, étalon de temps	standard time
temps synchrone, temps réseau	system time
tension	voltage
abaissement de tension, baisse volontaire de niveau de tension	voltage stepdown, voltage decrease, brownout
baisse de tension	voltage reduction

---
* Terme à éviter

baisse volontaire de niveau de tension, abaissement de tension	voltage stepdown, voltage decrease, brownout
basse tension (BT)	low voltage (LV)
chute de tension	voltage drop
consigne de tension	voltage set point
conversion de tension	voltage conversion
courant continu à haute tension (CCHT)	high voltage direct current (HVDC)
creux de tension	voltage dip
diviseur de tension	voltage divider
écart de tension	voltage deviation
échelon de tension	voltage step
enroulement basse tension	low-voltage winding
enroulement haute tension	high-voltage winding
fluctuation de tension, variation de tension	voltage fluctuation, voltage variation
hausse de tension	voltage rise, voltage increase
haute tension (HT)	high voltage (HV)
hors tension	dead, de-energized
ligne de distribution (à) basse tension	low-voltage distribution line
ligne de distribution (à) moyenne tension	medium-voltage distribution line
limite de tension	voltage limit
limiteur de courant dépendant de la tension (LCDT)	low-voltage current limit (LVCL)
mettre hors tension	to put off-potential

• *Terme du **Code d'exploitation**, voir à* mise hors tension.

mettre sous tension	to put on-potential

• *Terme du **Code d'exploitation**, voir à* mise sous tension.

mise hors tension	putting off-potential

• *Terme du **Code d'exploitation** qui désigne l'action par laquelle une installation ou un appareil cesse d'être raccordé à une source d'énergie électrique principale.*

mise sous tension	putting on-potential

• *Terme du **Code d'exploitation** qui désigne l'action par laquelle une installation ou un appareil est raccordé à une source d'énergie électrique principale.*

mode tension	voltage mode

* Terme à éviter

moyenne tension (MT)	medium voltage (MV)
niveau de tension	voltage level
oscillation de tension	voltage oscillation
plage de tension	voltage range
profil de tension	voltage profile
protection à équilibre de tension	voltage-balance protection
protection à maximum de tension, protection de surtension	overvoltage protection
protection à minimum de tension, protection de sous-tension, protection de subtension	undervoltage protection
réglage de tension	voltage regulation, voltage control
régulateur de tension	voltage regulator
sous tension	live, alive, energized
taux de variation de tension	voltage variation rate
tension assignée	rated voltage
tension composée, tension phase-phase, tension entre phases	phase-to-phase voltage, line-to-line voltage, line voltage
tension d'entrée, tension nouvelle	incoming voltage
tension de référence	reference voltage, running voltage
tension de tenue au choc	impulse withstand voltage
tension directe	forward voltage
tension entre phases, tension phase-phase, tension composée	phase-to-phase voltage, line-to-line voltage, line voltage
tension inverse	reverse voltage
tension maximale	maximum voltage
tension minimale	minimum voltage
tension nominale	nominal voltage
tension nouvelle, tension d'entrée	incoming voltage
tension phase-neutre, tension simple	phase-to-neutral voltage, line-to-neutral voltage

---

* Terme à éviter

tension phase-phase, tension entre phases, tension composée	phase-to-phase voltage, line-to-line voltage, line voltage
tension phase-terre	phase-to-ground voltage, line-to-ground voltage
tension simple, tension phase-neutre	phase-to-neutral voltage, line-to-neutral voltage
transformateur condensateur de tension	capacitor voltage transformer
transformateur de tension	voltage transformer
transformateur de tension (à induction)	(inductive) voltage transformer
variation de tension, fluctuation de tension	voltage variation, voltage fluctuation
térawattheure	terawatthour
terme	term
court terme	short term
long terme	long term
moyen terme	medium term
puissance à court terme	short-term power
très court terme	very short term
très long terme	very long term
terre	ground, earth
défaut biphasé à la terre, défaut biphasé-terre	two-phase-to-ground fault
défaut biphasé-terre, défaut biphasé à la terre	two-phase-to-ground fault
défaut monophasé (à la terre), défaut phase-terre	single-line-to-ground fault, phase-to-ground fault
défaut phase-terre, défaut monophasé (à la terre)	phase-to-ground fault, single-line-to-ground fault
défaut triphasé-terre	three-phase-to-ground fault
électrode de terre, prise de terre	ground electrode, grounding electrode
grille de (mise à la) terre	ground grid

---

* Terme à éviter

impédance par rapport à la terre	impedance to ground
ligne de terre	ground electrode line
mettre à la terre	to ground
mise à la terre (MALT)	grounding
prise de terre, électrode de terre	ground electrode, grounding electrode
retour par la terre	earth return
tension phase-terre	phase-to-ground voltage, line-to-ground voltage
territoire	area
thyristor	thyristor, controlled rectifier
topologie de réseau	system topology
transfert	transfer
transfert de charge, report de charge	load transfer
transfert inadvertant*, voir *énergie involontaire*	
transformateur	transformer
chambre de transformateurs	transformer vault, transformer manhole
transformateur combiné, combiné de mesure	combined instrument transformer, combined transformer
transformateur condensateur de tension	capacitor voltage transformer
transformateur de convertisseur	converter transformer
transformateur de courant	current transformer
transformateur de courant tension*, voir *combiné de mesure, transformateur combiné*	
transformateur de démarrage	starting transformer
transformateur de mesure	instrument transformer

---

* Terme à éviter

transformateur de potentiel*, voir *transformateur de tension*	
transformateur de puissance	power transformer
transformateur de séparation de circuits, transformateur d'isolement	isolating transformer
transformateur de tension	voltage transformer
transformateur de tension (à induction)	(inductive) voltage transformer
transformateur de tension capacitif*, voir *transformateur condensateur de tension*	
transformateur de tension inductif*, voir *transformateur de tension (à induction)*	
transformateur dévolteur	negative booster transformer, negative boosting transformer
transformateur d'excitation	exciter transformer
transformateur d'isolation	insulating transformer
transformateur d'isolement, transformateur de séparation de circuits	isolating transformer
transformateur survolteur	(positive) booster transformer
transformateur type isolateur	insulator type transformer
transit	wheel(ing)
capacité de transit	load-flow capacity, power-flow capacity, transfer capacity
limite de transit	transmission limit
tableau des transits maximaux, tableau des transits maximums	maximum flow table
tableau des transits maximums, tableau des transits maximaux	maximum flow table

* Terme à éviter

transit de puissance	load flow, power flow
transitoire	transient
instabilité en régime transitoire	transient-state instability
phénomène transitoire	transient phenomenon
régime transitoire	transient state
stabilité (en régime) transitoire	transient stability
surtension transitoire	transient overvoltage
transmetteur	transmitter
transmission	transmission
transport	transmission (of electrical energy)
capacité de transport	transmission capacity
ligne de transport	transmission line
réseau de production et de transport, réseau de production-transport	generation and transmission system, bulk power system
réseau de production-transport, réseau de production et de transport	bulk power system, generation and transmission system
transposition (de phases)	(phase) transposition, phase rotation
travail	work
autorisation de travail	work permit
avis de fin de travail	transfer of control of equipment
gestion des autorisations de travail	work permits management
traversée	crossing
traversée (isolée)	bushing
traversée sous-fluviale	underwater river crossing
très court terme	very short term
très long terme	very long term

* Terme à éviter

triphasé — three phase
défaut triphasé, défaut symétrique — three-phase fault, symmetrical fault
défaut triphasé-terre — three-phase-to-ground fault

turbine — turbine
centrale à turbine(s) à gaz — gas-turbine generating station, combustion-turbine generating station
puits (de turbine), fosse — (turbine), pit, wheel pit
turbine à gaz — gas turbine
surveillance permanente des groupes turbines-alternateurs (SUPER) — permanent monitoring of generating units (SUPER)

U

UAC (unité d'acquisition et de commande) — acquisition and control unit

UCC (unité centrale de conduite) — central control unit

unipolaire, monopolaire — single pole, unipolar, monopolar
ligne unipolaire, ligne monopolaire — unipolar line, monopolar line
système CCHT unipolaire, système CCHT monopolaire — unipolar HVDC system, monopolar HVDC system

unité — unit
unité centrale de conduite (UCC) — central control unit
unité d'acquisition et de commande (UAC) — acquisition and control unit

---

* Terme à éviter

unité de conversion, groupe de conversion, groupe convertisseur	converter unit
unité de téléconduite (UT)	telecontrol unit
urgence	emergency
arrêt d'urgence	emergency shutdown
mesures d'urgence	emergency measures
mode d'exploitation d'urgence	emergency operating mode
plan d'urgence	emergency plan
régime d'exploitation d'urgence	emergency operating conditions
UT (unité de téléconduite)	telecontrol unit
utilisation	utilization
facteur d'utilisation	utilization factor

V (volt)	V (volt)
VA (voltampère)	VA (voltampere)
valeur	value
commande de valeur de consigne, commande par points de consigne	set-point command
valeur de consigne, consigne, point de consigne	set value, set point
valeur marginale de l'eau	marginal value of water
vallée	valley
valve (courant continu)	valve
groupe de valves	valve group

* Terme à éviter

vanne	gate
var (var)	var (var)
variation	variation
taux de variation de débit	flow variation rate
taux de variation de puissance	power variation rate
taux de variation de tension	voltage variation rate
variation de fréquence	frequency variation, frequency fluctuation
variation de puissance	power variation, power fluctuation
variation de tension, fluctuation de tension	voltage variation, voltage fluctuation
ventilation, aération	ventilation
système de ventilation, système d'aération	ventilation system
verrouillage	interlock
verrouiller	to lock, to interlock
vibration	vibration
vidange (réservoir)	dewatering
vide	gap; vacuum
marche à vide	speed no-load
marche à vide en réseau	speed no-load (synchronized)
marche à vide hors réseau	speed no-load (non-synchronized)
vitesse	speed
consigne de vitesse	speed set point
écart de vitesse	speed deviation
limite de vitesse	speed limit
régulateur de vitesse	(speed) governor
sous-vitesse	underspeed
vitesse synchrone	synchronous speed

---

* Terme à éviter

volt (V)	volt (V)
voltage*, voir *tension*	
voltampère (VA)	voltampere (VA)
voltmètre	voltmeter
voûte*, voir *chambre de transformateurs*	
voyant lumineux	indicator light

■ W

W (watt)	W (watt)
watt (W)	watt (W)
wattheure (Wh)	watthour (Wh)
wattheuremètre	watthourmeter
wattmètre	wattmeter
Wh (wattheure)	Wh (watthour)

■ Z

zone	area
zone d'intervention	work area
zone protégée	protected area

* Terme à éviter

Anglais-Français

A (ampere)	A (ampère)
abnormal condition	condition anormale
aborted start, starting failure, unsatisfactory start	démarrage incomplet, démarrage manqué
acceptance test	essai de réception
AC directional overcurrent protection	protection directionnelle à maximum de courant alternatif
AC generator, alternating-current generator, alternator	alternateur
AC link, alternating-current link	liaison à courant alternatif, liaison en courant alternatif
acquisition	acquisition
acquisition and control unit	unité d'acquisition et de commande (UAC)
AC system, alternating-current system	réseau à courant alternatif
AC tie, alternating-current tie	interconnexion à courant alternatif
AC time overcurrent protection	protection temporisée à maximum de courant alternatif
active load, real load	charge active, charge réelle
active power	puissance active, puissance réelle
active-power set point	consigne de puissance active

active storage (reservoir)	réserve utile (réservoir)
actual net exchange	échange net réel
adjustment	réglage
admittance	admittance
aerogenerator, wind turbine, wind generator	aérogénérateur, éolienne
afterbay, tailbay	bief (d')aval
agreement	entente
delivery as per agreement	livraison selon entente
electricity received as per agreement	réception selon entente
phase agreement, phase coincidence	concordance de phase
alarm	alarme
alarm and fault management	gestion des alarmes et des anomalies
alarm code	code d'alarme
alarm indication table	tableau de signalisation d'alarmes
alarm level	cote d'alerte
events and alarms table	tableau d'événements et d'alarmes
alert	alerte
alive, live, energized	sous tension
alternating current	courant alternatif (c.a.)
alternating-current generator, AC generator, alternator	alternateur
alternating-current link, AC link	liaison à courant alternatif, liaison en courant alternatif
alternating-current system, AC system	réseau à courant alternatif

alternating-current tie, AC tie	interconnexion à courant alternatif
alternator, alternating-current generator, AC generator	alternateur
ammeter	ampèremètre
ampere (A)	ampère (A)
kilovolt-ampere (kVA)	kilovolt-ampère (kVA)
megavolt-ampere (MVA)	mégavolt-ampère (MVA)
amplification	amplification
amplitude	amplitude
amplitude factor	facteur d'amplitude
analysis	analyse
fault analysis	analyse de défaut
outage analysis, outage study	analyse de panne, étude de panne
angular deviation, angular displacement	écart angulaire, décalage angulaire
angular displacement, angular deviation	décalage angulaire, écart angulaire
annunciator	annonciateur
anode	anode
apparatus	appareil
apparent power	puissance apparente
arc	arc
arc-back	retour d'arc

area	territoire ; réseau ; aire ; zone
area control error	écart de consigne
catchment (area), watershed	bassin versant
protected area	zone protégée
test area	aire d'essai
work area	zone d'intervention
arrester [surge], surge diverter	parafoudre
assistance [mutual]	entraide
assured energy	énergie assurée
asymmetry	asymétrie
asymmetry factor	facteur d'asymétrie
asynchronous interconnection, asynchronous tie	interconnexion asynchrone
asynchronous link	liaison asynchrone
asynchronous tie, asynchronous interconnection	interconnexion asynchrone
attended substation	poste gardienné
automatic closing	enclenchement
automatic closing control	automatisme d'enclenchement
automatic connection control	automatisme de branchement
automatic control	automatisme
local automatic control	automatisme local
automatic disconnection control	automatisme de débranchement

automatic generation rejection	rejet de production automatique
automatic generation-rejection control	automatisme de rejet de production
automatic load shedding	délestage automatique
automatic local controls and remote control based on distributed intelligence (ALCID)	automatismes locaux et conduite par intelligence distribuée (ALCID)
automatic shutdown	arrêt automatique
automatic start	démarrage automatique
automatic synchronization, automatic synchronizing	synchronisation automatique
automatic synchronization control	automatisme de synchronisation
automatic synchronizer, automatic synchroscope	synchronoscope automatique
automatic synchronizing, automatic synchronization	synchronisation automatique
automatic synchroscope, automatic synchronizer	synchronoscope automatique
automatic transfer, throw over	permutation
autonomous electrical system	réseau autonome
autotransformer	autotransformateur
auxiliaries, auxiliary services	services auxiliaires

auxiliary	auxiliaire
auxiliary power supply	alimentation auxiliaire
auxiliary services, auxiliaries	services auxiliaires
availability	disponibilité
availability rate	taux de disponibilité
loss of availability	perte de disponibilité
available	disponible
available capacity, available power	puissance disponible
available power, available capacity	puissance disponible
available reserve	réserve disponible
non available, not available, unavailable	indisponible
not available, non available, unavailable	indisponible
average spill	déversement moyen

■ B

back-to-back converters	convertisseurs dos à dos
backup line, standby line	ligne de réserve, ligne de secours
backup protection	protection de réserve, protection de secours
balance	équilibre ; bilan
current-balance protection	protection à équilibre de courant
energy balance	bilan énergétique
exchange balance	bilan des échanges
power balance	bilan de puissance

voltage-balance protection	protection à équilibre de tension
balanced load	charge équilibrée
bandwidth	largeur de bande
bang ramp	circuit de réduction-remontée automatique de puissance
bar	barre
base	base
base load	charge de base, puissance de base
base-load generating station	centrale de base
battery	batterie
(storage) battery	(batterie d')accumulateurs
beam [microwave]	faisceau hertzien
beat	battement
bipolar	bipolaire
bipolar HVDC system	système CCHT bipolaire
bipolar line	ligne bipolaire
blackout	panne
block diagram, functional diagram	schéma fonctionnel
blocking	blocage
converter blocking	blocage de convertisseur
directional comparison blocking	téléblocage
pole blocking	blocage de pôles

board, panel	tableau
mimic diagram board	tableau synoptique
booster [positive]	survolteur
(positive) booster transformer	transformateur survolteur
bottled capacity, bottled power, locked-in power, locked-in capacity	puissance captive
bottled power, bottled capacity, locked-in power, locked-in capacity	puissance captive
box	boîte
control box	boîtier de commande
braking	freinage
braking resistor	résistance de freinage
braking system	système de freinage
branch line, T tap, tap-off	(ligne en) dérivation
breakdown [electrical], disruptive discharge	claquage, décharge disruptive
breaking capacity, interrupting capacity	pouvoir de coupure, puissance de coupure
bridge	pont
converter bridge	pont de conversion
negative rectifier bridge	pont bêche
positive rectifier bridge	pont tête
brownout, voltage stepdown, voltage decrease	abaissement de tension, baisse volontaire de niveau de tension
bulk load shedding	délestage en bloc

bulk power system, generation and transmission system	réseau de production-transport, réseau de production et de transport
bundle	faisceau
bundle (conductor), bundled conductor, conductor bundle	faisceau (de conducteurs), conducteur en faisceau
conductor bundle, bundle (conductor), bundled conductor	faisceau (de conducteurs), conducteur en faisceau
bundled conductor, bundle (conductor), conductor bundle	conducteur en faisceau, faisceau (de conducteurs)
busbar	barre omnibus
busbars, busbar system	jeu de barres
busbar system, busbars	jeu de barres
metalclad busbar, shielded busbar	barre blindée
shielded busbar, metalclad busbar	barre blindée
standby busbar	barre de réserve, barre de secours
bushing	traversée (isolée)
bypass	dérivation
bypass pair	paire de shuntage
bypass path	chemin de shuntage
bypass switch	interrupteur de shuntage

C

cable	câble
cable vault, splicing chamber, manhole	chambre de raccordement
submarine cable	câble sous-marin
underground cable, underground line	ligne souterraine
CAIDI (customer average interruption duration index)	DMC (durée moyenne d'interruption par client)
canal	canal
headrace (canal), intake canal	canal d'amenée
intake canal, headrace (canal)	canal d'amenée
tailrace (canal)	canal de fuite
capability [energy]	productibilité
capacitance	capacité
capacitive divider	diviseur capacitif
capacitive load, leading load	charge capacitive
capacitive power	puissance capacitive
capacitive reactance	capacitance
capacitor	condensateur
capacitor bank	batterie de condensateurs
capacitor voltage transformer	transformateur condensateur de tension
series capacitor	condensateur série

capacity	puissance ; capacité
available capacity, available power	puissance disponible
bottled capacity, bottled power, locked-in power, locked-in capacity	puissance captive
breaking capacity, interrupting capacity	pouvoir de coupure, puissance de coupure
capacity power, emergency power	puissance de soutien
discharge capacity	pouvoir de décharge
firm capacity, firm power	puissance garantie
installed capacity	puissance installée
interconnection capacity	capacité d'interconnexion
interrupting capacity, breaking capacity	pouvoir de coupure, puissance de coupure
load-flow capacity, power-flow capacity, transfer capacity	capacité de transit
locked-in capacity, locked-in power, bottled capacity, bottled power	puissance captive
loss of (generating) capacity	perte de production
making capacity	pouvoir de fermeture
maximum capacity, maximum power	puissance maximale
minimum capacity, minimum power	puissance minimale
nominal capacity	puissance nominale
plant capacity flow, maximum usable flow	débit d'équipement, débit équipé, débit maximal turbinable
power-flow capacity, load-flow capacity, transfer capacity	capacité de transit
rated capacity, rated power	puissance assignée
reserve capacity	puissance de réserve
transfer capacity, power-flow capacity, load-flow capacity	capacité de transit
transmission capacity	capacité de transport

carrier current	courant porteur
carrier (wave)	(onde) porteuse
catchment (area), watershed	bassin versant
cathode	cathode
cavitation	cavitation
central control unit	unité centrale de conduite (UCC)
centre	centre
distribution control centre	centre d'exploitation de distribution (CED)
generation centre	centre de production
load centre	centre de consommation
regional control centre	centre d'exploitation régional (CER)
system control centre	centre de conduite du réseau (CCR)
chamber	chambre
disconnecting chamber, sectionalizing chamber	chambre de sectionnement
sectionalizing chamber, disconnecting chamber	chambre de sectionnement
splicing chamber, cable vault, manhole	chambre de raccordement
surge chamber, surge tank	chambre d'équilibre, cheminée d'équilibre
change of state	changement d'état
changeover switch, throw-over switch	permutateur
changer [tap]	changeur de prises

characteristic	caractéristique
characteristic impedance	impédance caractéristique
checking(-out), check(-out)	contrôle
check(-out), checking(-out)	contrôle
circuit	circuit
circuit breaker	disjoncteur
short circuit	court-circuit
short-circuit capacity	puissance de court-circuit
short-circuit current	courant de court-circuit
short-circuit study	étude de court-circuit
stabilizing circuit	circuit stabilisateur
closed loop	boucle fermée
closed-loop control, feedback control	asservissement
closing	fermeture
automatic closing	enclenchement
automatic closing control	automatisme d'enclenchement
closing resistor	résistance d'enclenchement
in-phase closing	fermeture en phase
remote closing, remote close	télédéclenchement
code	code
alarm code	code d'alarme
operating code	code d'exploitation
outage code	code de retrait
work-safety code	code de travaux
coefficient	indice
cogeneration	production combinée (de chaleur et d'électricité)
cold-load pickup	prise de charge froide

combined instrument transformer, combined transformer	transformateur combiné, combiné de mesure
combined transformer, combined instrument transformer	transformateur combiné, combiné de mesure
combustion-turbine generating station, gas-turbine generating station	centrale à turbine(s) à gaz
commutation	commutation
commutation failure	raté de commutation, défaut de commutation
commutation inductance	inductance de commutation
commutation number	indice de commutation
commutation reactance	réactance de commutation
commutation resistance	résistance de commutation
self-commutation	autocommutation
compensation	compensation
dynamic shunt compensation	compensation shunt dynamique
series compensation	compensation série
shunt compensation	compensation shunt
compensator	compensateur
series compensator	compensateur série
static compensator	compensateur statique
synchronous compensator, synchronous condenser	compensateur synchrone
compressed air system	système d'air comprimé
condenser [synchronous], synchronous compensator	conpensateur synchrone

condition	condition
abnormal condition	condition anormale
condition guarantee, station guarantee	dégagement, garantie de non-intervention
condition guarantees management, station guarantees management	gestion des dégagements, gestion des garanties de non-intervention
emergency operating conditions	régime d'exploitation d'urgence
normal condition	condition normale
normal operating conditions	régime d'exploitation normal
operating condition	état d'exploitation
operating conditions	régime

conductance	conductance

conduction	conduction
(valve) conduction interval	intervalle de conduction

conductivity	conductivité

conductor	conducteur
bundle (conductor), conductor bundle, bundled conductor	faisceau (de conducteurs), conducteur en faisceau
bundled conductor, bundle (conductor), conductor bundle	conducteur en faisceau, faisceau (de conducteurs)
conductor bundle, bundled conductor, bundle (conductor)	faisceau (de conducteurs), conducteur en faisceau
(conductor) dancing, (conductor) galloping	danse (de conducteurs), galop (de conducteurs)
(conductor) galloping, (conductor) dancing	galop (de conducteurs), danse (de conducteurs)

configuration	configuration
degraded configuration	configuration dégradée
system configuration	configuration de réseau, architecture de réseau

connect [to]	raccorder
connected load, connected power	charge raccordée, puissance raccordée
connected power, connected load	charge raccordée, puissance raccordée
connection	connexion ; raccordement
automatic connection control	automatisme de branchement
connection point	point de raccordement
consent	accord
conservation energy, supplemental energy	énergie d'appoint
constant current operation	fonctionnement à courant constant
constant power operation	fonctionnement à puissance constante
consumption	consommation
priority consumption	consommation prioritaire
contingency	incident
contingency report	rapport d'incident
continuity	continuité
continuity of supply	continuité de service
contract	contrat (énergie, puissance, etc.)
contractual interruption	interruption contractuelle
control	commande ; réglage ; conduite
acquisition and control unit	unité d'acquisition et de commande (UAC)

area control error	écart de consigne
automatic closing control	automatisme d'enclenchement
automatic connection control	automatisme de branchement
automatic control	automatisme
automatic disconnection control	automatisme de débranchement
automatic generation-rejection control	automatisme de rejet de production
automatic local controls and remote control based on distributed intelligence (ALCID)	automatismes locaux et conduite par intelligence distribuée (ALCID)
automatic synchronization control	automatisme de synchronisation
central control unit	unité centrale de conduite (UCC)
closed-loop control, feedback control	asservissement
control box	boîtier de commande
control cabinet, control cubicle	armoire de commande
control cubicle, control cabinet	armoire de commande
control loop	boucle d'asservissement, boucle de régulation
control panel, control switchboard	tableau de commande
control range, regulation range, regulating range, setting range	plage de réglage, plage réglante, plage de régulation, domaine de réglage
control structure, control works	ouvrage régulateur, ouvrage de régulation
control switchboard, control panel	tableau de commande
control variable, manipulated variable	grandeur réglante, grandeur de commande
control works, control structure	ouvrage régulateur, ouvrage de régulation
direct control	commande directe
distribution control centre	centre d'exploitation de distribution (CED)

feedback control, closed-loop control	asservissement
generation control	réglage de production
hydraulic control, hydraulic regulation	régularisation hydraulique
load-frequency control (LFC)	réglage fréquence-puissance (RFP)
load-shedding control	automatisme de délestage
local automatic control	automatisme local
local control	commande locale
power system control	conduite de réseau
real-time system control	conduite en temps réel
reclosing control	automatisme de réenclenchement
regional control centre	centre d'exploitation régional (CER)
remote control	commande à distance
remote load shedding control	automatisme de télédélestage
remote trip(ping) control, remote transfer trip	télédéclenchement
reserve on automatic generation control	puissance réglante
station integrated computer control (SICC)	système informatisé de conduite de centrales (SICC)
system control centre	centre de conduite du réseau (CCR)
system control log	journal de conduite de réseau
system-partitioning control, system-separation control	automatisme de séparation de réseau
system-separation control, system-partitioning control	automatisme de séparation de réseau
tripping control	automatisme de déclenchement
voltage control, voltage regulation	réglage de tension
controlled load shedding, selective load shedding	délestage sélectif
controlled rectifier, thyristor	thyristor

conversion	conversion
conversion of electrical energy, conversion of electricity	conversion d'énergie électrique
conversion of electricity, conversion of electrical energy	conversion d'énergie électrique
voltage conversion	conversion de tension
converter	convertisseur
back-to-back converters	convertisseurs dos à dos
converter blocking	blocage de convertisseur
converter bridge	pont de conversion
converter deblocking	déblocage de convertisseur
converter station	poste de conversion, station de conversion
converter transformer	transformateur de convertisseur
converter unit	groupe de conversion, groupe convertisseur, unité de conversion
frequency converter, frequency changer	convertisseur de fréquence
cooling system	système de refroidissement
corona (effect)	effet (de) couronne, effet corona
corona losses	pertes par effet (de) couronne
correct operation	fonctionnement correct
cost	coût
decremental cost	coût évité
incremental cost	coût supplémentaire
marginal cost	coût marginal
unit cost	coût unitaire
variable cost	coût variable
counterpoise (wire)	contrepoids

crest	crête
crest (of a dam)	crête déversante (d'un barrage)
criterion	critère
operation criterion	critère d'exploitation
crossing	traversée
river-crossing tunnel	galerie sous-fluviale
underwater river crossing	traversée sous-fluviale
cumulative flow, inflow, yield	apports
current	intensité (de courant), courant
alternating current	courant alternatif (c.a.)
alternating-current generator, AC generator, alternator	alternateur
alternating-current link, AC link	liaison à courant alternatif, liaison en courant alternatif
alternating-current system, AC system	réseau à courant alternatif
alternating-current tie, AC tie	interconnexion à courant alternatif
carrier current	courant porteur
constant current operation	fonctionnement à courant constant
current-balance protection	protection à équilibre de courant
current divider	diviseur de courant
current limit	limite de courant
current limiter	limiteur de courant
current mode	mode courant
current set point	consigne de courant
current transformer	transformateur de courant
direct current	courant continu (c.c.)
direct-current link, DC link	liaison à courant continu, liaison en courant continu
direct-current tie, DC tie	interconnexion à courant continu
fault current	courant de défaut
high voltage direct current (HVDC)	courant continu à haute tension (CCHT)
inrush current, surge current	courant d'appel

low-voltage current limit (LVCL)	limiteur de courant dépendant de la tension (LCDT)
nominal current	courant nominal
rated current	courant assigné
short-circuit current	courant de court-circuit
surge current, inrush current	courant d'appel
curve	courbe
load curve, loading diagram	courbe de charge, diagramme de charge
load duration curve	courbe de puissances classées, monotone de charge(s), monotone de puissances classées, diagramme de charges classées
customer	client
customer average interruption duration index (CAIDI)	durée moyenne d'interruption par client (DMC)
cutout [fuse]	coupe-circuit à fusible
cycle	cycle
cyclic load shedding	délestage cyclique

D

dam	barrage
damping	amortissement
damping resistor	résistance d'amortissement
dancing [(conductor)], (conductor) galloping	danse (de conducteurs), galop (de conducteurs)

DC link, direct-current link	liaison à courant continu, liaison en courant continu
DC reactor, smoothing reactor	inductance de lissage
DC tie, direct-current tie	interconnexion à courant continu
dead, de-energized	hors tension
dead short	défaut franc
deblocking	déblocage
converter deblocking	déblocage de convertisseur
pole deblocking	déblocage de pôles
decrease in frequency, frequency reduction	baisse de fréquence
decremental cost	coût évité
de-energized, dead	hors tension
deferred	différé
degraded configuration	configuration dégradée
degraded mode	mode dégradé
delay	retard
time-delay protection	protection (à action) différée, protection temporisée
time-delay stopping or opening protection	protection temporisée associée au déclenchement de séquences de protection et d'automatisme
delivery	livraison
delivery as per agreement	livraison selon entente
delivery point, point of supply	point de livraison, point de fourniture

delivery schedule	programme de livraison
out-of-Québec delivery	livraison hors Québec
out-of-system delivery	livraison hors réseau
demand	demande (électricité) ; puissance
demand management	gestion de la demande
demand power, demand set up	puissance appelée
demand set up, demand power	puissance appelée
total demand, requirements, total system load	besoins globaux
developing fault, evolving fault	défaut évolutif
deviation	écart
angular deviation, angular displacement	écart angulaire, décalage angulaire
frequency deviation	écart de fréquence
speed deviation	écart de vitesse
time deviation	écart de temps
voltage deviation	écart de tension
dewatering	vidange (réservoir)
diagram	schéma ; diagramme
block diagram, functional diagram	schéma fonctionnel
functional diagram, block diagram	schéma fonctionnel
generating-station diagram	schéma de centrale
loading diagram, load curve	diagramme de charge, courbe de charge
mimic diagram	schéma synoptique
mimic diagram board	tableau synoptique
one-line diagram, single-line diagram	schéma unifilaire
schematic diagram	schéma de principe
single-line diagram, one-line diagram	schéma unifilaire

substation diagram	schéma de poste
diesel generating station	centrale diesel
differential protection	protection différentielle
dipole	bipôle, dipôle
direct control	commande directe
direct current	courant continu (c.c.)
direct-current link, DC link	liaison à courant continu, liaison en courant continu
direct-current tie, DC tie	interconnexion à courant continu
high voltage direct current (HVCD)	courant continu à haute tension
directional comparison blocking	téléblocage
directional power protection	protection de puissance directionnelle
directive	directive
disassembly, dismounting	démontage
discharge	décharge
discharge capacity	pouvoir de décharge
discharge for logging	débit de flottage
disruptive discharge, electrical breakdown	décharge disruptive, claquage
flood (water) discharge, flood flow, high-water discharge	écoulement de crue, débit de crue, (débit de) hautes eaux
high-water discharge, flood flow, flood (water) discharge	(débit de) hautes eaux, débit de crue, écoulement de crue
minimum discharge, minimum flow	débit minimal

peak discharge, peak flow	débit de pointe
specific discharge	débit spécifique (débit par kilomètre carré)
disconnecting chamber, sectionalizing chamber	chambre de sectionnement
disconnecting device	appareil de sectionnement
disconnecting switch, isolating switch, disconnector	sectionneur
disconnection	coupure ; débranchement
automatic disconnection control	automatisme de débranchement
disconnection (of a generating unit)	découplage (d'un groupe)
reactor disconnection set point	sélection d'inductances à débrancher
disconnector, disconnecting switch, isolating switch	sectionneur
dismounting, disassembly	démontage
displacement	décalage
angular displacement, angular deviation	décalage angulaire, écart angulaire
fuel-displacement energy, fuel-replacement energy	énergie de remplacement (de combustible)
phase displacement, phase shift	déphasage
display	affichage
disruptive discharge, electrical breakdown	décharge disruptive, claquage
distance	distance
distance protection	protection de distance

distribution	distribution
distribution control centre	centre d'exploitation de distribution (CED)
distribution system	réseau de distribution
distribution system inventory	inventaire du réseau de distribution
low-voltage distribution line	ligne de distribution (à) basse tension
medium-voltage distribution line	ligne de distribution (à) moyenne tension
disturbance	perturbation
disturbance recorder	oscilloperturbographe
diversion (of a river)	dérivation (d'un cours d'eau)
diversity	diversité
diversity factor	facteur de diversité
diversity power	puissance de diversité
divider	diviseur
capacitive divider	diviseur capacitif
current divider	diviseur de courant
voltage divider	diviseur de tension
double line feeder	départ double
downstream	aval
drawdown	baisse de niveau (barrage)
draw-off	prélèvement
draw-out [to]	débrocher
drive, river drive, log running	flottage (de bois)
droop	statisme
dump load	charge de lissage

dynamic shunt compensation	compensation shunt dynamique
dynamic stability	stabilité (en régime) dynamique
dynamic state	régime dynamique
dynamic-state instability	instabilité en régime dynamique

■ E

early spill, premature spill	déversement prématuré
earth, ground	terre
earth return	retour par la terre
economy	économie
economy energy	énergie d'économie
electrical breakdown, disruptive discharge	claquage, décharge disruptive
electrical degree	degré électrique
electrical system	réseau électrique
autonomous electrical system	réseau autonome
electric energy	énergie électrique
electricity	électricité
conversion of electricity, conversion of electrical energy	conversion d'énergie électrique
electricity received	réception
electricity received as per agreement	réception selon entente

(electric) losses	pertes (électriques)
(electric) substation	poste (électrique)
emergency	urgence
emergency measures	mesures d'urgence
emergency operating conditions	régime d'exploitation d'urgence
emergency operating mode	mode d'exploitation d'urgence
emergency plan	plan d'urgence
emergency power, capacity power	puissance de soutien
emergency shutdown	arrêt d'urgence
EMS (energy management system)	système de gestion d'énergie
end	fin
energized, live, alive	sous tension
energy	énergie
assured energy	énergie assurée
conservation energy, supplemental energy	énergie d'appoint
conversion of electrical energy, conversion of electricity	conversion d'énergie électrique
economy energy	énergie d'économie
electric energy	énergie électrique
energy at peak (time)	énergie à la pointe
energy balance	bilan énergétique
energy capability	productibilité
energy management system (EMS)	système de gestion d'énergie
energy reserve	réserve en énergie
energy surplus	surplus d'énergie
excess energy	énergie excédentaire
firm energy	énergie garantie

fuel-displacement energy, fuel-replacement energy	énergie de remplacement (de combustible)
fuel-replacement energy, fuel-displacement energy	énergie de remplacement (de combustible)
inadvertent energy	énergie involontaire
interruptible energy	énergie interruptible
off-peak energy	énergie hors pointe
supplemental energy, conservation energy	énergie d'appoint
tertiary energy	énergie ad hoc
equipment	appareillage ; équipement
equipment withdrawal listing, integrated outage program	bilan des retraits
error [area control]	écart de consigne
even harmonic	harmonique pair
event	événement
events and alarms table	tableau d'événements et d'alarmes
events report	rapport d'événements
sequence-of-events recorder, sequential-events recorder (SER), sequential-events recording system (SERS)	enregistreur chronologique d'événements (ECE)
sequential-events recorder (SER), sequential-events recording system (SERS), sequence-of-events recorder	enregistreur chronologique d'événements (ECE)
sequential-events recording system (SERS), sequential-events recorder (SER), sequence-of-events recorder	enregistreur chronologique d'événements (ECE)
evolving fault, developing fault	défaut évolutif

exceeding rating, excess of rating	surpuissance
excess energy	énergie excédentaire
excess of rating, exceeding rating	surpuissance
exchange	échange
actual net exchange	échange net réel
exchange balance	bilan des échanges
exchange log, transaction log	journal des échanges
exchange management	gestion des échanges
exchange schedule	programme des échanges
net exchange	solde des échanges
total programmed exchange	échange programmé total
excitation	excitation
excitation system	système d'excitation
self-excitation	autoexcitation
exciter	excitatrice
exciter set	groupe d'excitation
exciter transformer	transformateur d'excitation
excursion	excursion
export	exportation
loss of export	perte d'exportation
net export	solde exportateur

F

facility	installation
factor	facteur
amplitude factor	facteur d'amplitude
asymmetry factor	facteur d'asymétrie
diversity factor	facteur de diversité
load factor	facteur de charge
loss factor	facteur de pertes
power factor	facteur de puissance
reservoir withdrawal factor	facteur de prélèvement de réservoir
utilization factor	facteur d'utilisation
failure	défaillance
commutation failure	raté de commutation, défaut de commutation
firing failure, misfiring	défaut d'allumage
power failure	panne
false firing, unwanted firing	allumage intempestif
false trip	déclenchement intempestif
fault	défaut
alarm and fault management	gestion des alarmes et des anomalies
developing fault, evolving fault	défaut évolutif
evolving fault, developing fault	défaut évolutif
fault analysis	analyse de défaut
fault current	courant de défaut
fault detector	détecteur de défauts
fault indicator	indicateur de défauts
fault location	localisation de défauts
fault locator	localisateur de défauts
fault report	rapport de défaut
intermittent fault	défaut intermittent

line-to-line fault, phase-to-phase fault	défaut biphasé
permanent fault	défaut permanent
phase-to-ground fault, single-line-to-ground fault	défaut phase-terre, défaut monophasé (à la terre)
phase-to-phase fault, line-to-line fault	défaut biphasé
single-line-to-ground fault, phase-to-ground fault	défaut monophasé (à la terre), défaut phase-terre
symmetrical fault, three-phase fault	défaut symétrique, défaut triphasé
three-phase fault, symmetrical fault	défaut triphasé, défaut symétrique
three-phase-to-ground fault	défaut triphasé-terre
transient fault	défaut fugitif
two-phase-to-ground fault	défaut biphasé-terre, défaut biphasé à la terre
virtual fault	défaut virtuel
feedback control, closed-loop control	asservissement
feedback signal	signal de réaction
ferroresonance	ferrorésonance
filter	filtre
final tripping	déclenchement définitif
fire-fighting system	système d'extinction d'incendie
firing	allumage
false firing, unwanted firing	allumage intempestif
firing failure, misfiring	défaut d'allumage
unwanted firing, false firing	allumage intempestif
firm capacity, firm power	puissance garantie

firm (electric) power	électricité garantie, électricité régulière
firm energy	énergie garantie
firm power, firm capacity	puissance garantie
firm-power requirements	besoins d'électricité régulière
fish	poisson
fish pass, fishway	passe à poissons
fishway, fish pass	passe à poissons
fixed limit	seuil fixe
fixed radio station	poste fixe (de radiocommunications), station fixe (de radiocommunications)
flashboards	hausses de déversoir, haussoir(e)
flashover	contournement
flicker	papillotement
flood	crue
10-year (return) flood	crue décennale
20-year (return) flood	crue vicennale
50-year (return) flood	crue cinquantennale, crue quinquagennale
100-year (return) flood	crue centennale
1000-year (return) flood	crue millennale
10 000-year (return) flood	crue décamillennale
flood flow, flood (water) discharge, high-water discharge	débit de crue, (débit de) hautes eaux, écoulement de crue
flood routing	laminage de crue
flood (water) discharge, flood flow, high-water discharge	écoulement de crue, débit de crue, (débit de) hautes eaux
flow	débit
cumulative flow, inflow, yield	apports

flood flow, flood (water) discharge, high-water discharge	débit de crue, écoulement de crue, (débit de) hautes eaux
flow lag	décalage de débit
flow variation rate	taux de variation de débit
load flow, power flow	transit de puissance ; répartition de puissance (calculée) ; répartition de puissance (mesurée)
load-flow capacity, power flow capacity, transfer capacity	capacité de transit
maximum flow table	tableau des transits maximums, tableau des transits maximaux
maximum usable flow, plant capacity flow	débit d'équipement, débit équipé, débit maximal turbinable
minimum flow, minimum discharge	débit minimal
peak flow, peak discharge	débit de pointe
plant capacity flow, maximum usable flow	débit d'équipement, débit équipé, débit maximal turbinable
power flow, load flow	transit de puissance ; répartition de puissance (calculée) ; répartition de puissance (mesurée)
power flow capacity, load-flow capacity, transfer capacity	capacité de transit
regulated flow	débit régularisé
stored flow, stored inflow	apports stockés
flowmeter	débitmètre
fluctuation	fluctuation
fluctuation (of water level), variation of water level	marnage
frequency fluctuation, frequency variation	variation de fréquence
power fluctuation, power variation	variation de puissance
voltage fluctuation, voltage variation	fluctuation de tension, variation de tension

forced shutdown	arrêt forcé
forebay	bief (d')amont
forecast	prévision
generation forecast	prévision de production
inflow forecast	prévision d'apports
load forecast	prévision de la demande ; prévision des charges
forward voltage	tension directe
free-weir discharge	déversement en crête
frequency	fréquence
decrease in frequency, frequency reduction	baisse de fréquence
frequency changer, frequency converter	convertisseur de fréquence
frequency converter, frequency changer	convertisseur de fréquence
frequency deviation	écart de fréquence
frequency drift, frequency shift	glissement de fréquence, dérive de fréquence
frequency fluctuation, frequency variation	variation de fréquence
frequency limit	limite de fréquence
frequency oscillation	oscillation de fréquence
frequency power mode, load-frequency mode	mode fréquence-puissance
frequency power modulation	modulation de fréquence-puissance
frequency protection	protection de fréquence
frequency reduction, decrease in frequency	baisse de fréquence
frequency regulator	régulateur de fréquence
frequency rise, increase in frequency	hausse de fréquence, montée de fréquence
frequency set point	consigne de fréquence

frequency shift, frequency drift — glissement de fréquence, dérive de fréquence
frequency swing — excursion de fréquence
frequency variation, frequency fluctuation — variation de fréquence
increase in frequency, frequency rise — montée de fréquence, hausse de fréquence
load-frequency controller — régulateur fréquence-puissance
load-frequency control (LFC) — réglage fréquence-puissance (RFP)
load-frequency mode, frequency power mode — mode fréquence-puissance
low frequency — basse fréquence
system average interruption frequency index (SAIFI) — fréquence (moyenne d'interruption)

fuel-displacement energy, fuel-replacement energy — énergie de remplacement (de combustible)

fuel-replacement energy, fuel-displacement energy — énergie de remplacement (de combustible)

functional diagram, block diagram — schéma fonctionnel

fuse — fusible
fuse cutout — coupe-circuit à fusible

■ G

gain — gain
gain optimizer — optimiseur de gain
gain supervisor — superviseur de gain

galloping [(conductor)], (dancing) conductor — galop (de conducteurs), danse (de conducteurs)

gap	vide
spark gap	éclateur
gas	gaz
gas-fired generating station	centrale à gaz
gas turbine	turbine à gaz
gas-turbine generating station, combustion-turbine generating station	centrale à turbine(s) à gaz
gate	vanne ; gâchette
gate pulse	impulsion de gâchette
wicket gate, guide wave	directrice (d'une turbine)
generating capability	capacité de production
generating plant, generating station, power station, power plant	centrale
generating plant, generating system	parc (d'équipement) de production
generating set	groupe électrogène
generating station, power station, power plant, generating plant	centrale
base-load generating station	centrale de base
combustion-turbine generating station, gas-turbine generating station	centrale à turbine(s) à gaz
diesel generating station	centrale diesel
gas-fired generating station	centrale à gaz
gas-turbine generating station, combustion-turbine generating station	centrale à turbine(s) à gaz
generating-station diagram	schéma de centrale
generating-station service	consommation de centrale

hydroelectric generating station	centrale hydroélectrique, centrale hydraulique
nuclear generating station	centrale nucléaire
peak-load generating station	centrale de pointe
pumped-storage generating station	centrale de pompage
reservoir generating station	centrale à réservoir
run-of-river generating station	centrale au fil de l'eau
thermal generating station	centrale thermique
wind(-turbine) generating station	centrale éolienne
generating system, generating plant	parc (d'équipement) de production
generating unit efficiency	rendement de groupe
generation	production
automatic generation rejection	rejet de production automatique
automatic generation-rejection control	automatisme de rejet de production
generation and transmission system, bulk power system	réseau de production et de transport, réseau de production-transport
generation centre	centre de production
generation control	réglage de production
generation dispatching	répartition de production
generation dropping, generation shedding, generation rejection	rejet de production
generation forecast	prévision de production
generation limit	limite de production
generation log	journal de production
generation planning	plan de production
generation rejection, generation shedding, generation dropping	rejet de production
generation-rejection set point	sélection de groupes assujettis au rejet de production

generation schedule	programme de production
generation shedding, generation dropping, generation rejection	rejet de production
manual generation rejection	rejet de production manuel
net generation (of a generating station)	production nette (d'une centrale)
radial generation	production en antenne, production radiale
reserve on automatic generation control	puissance réglante
governor [(speed)]	régulateur de vitesse
grid	grille
grid pulse	impulsion de grille
grid (system), mesh(ed) system	réseau maillé
ground grid	grille de (mise à la) terre
gross generation (of a generating station)	production brute (d'une centrale)
ground, earth	terre
ground electrode, grounding electrode	électrode de terre, prise de terre
ground electrode line	ligne de terre
ground grid	grille de (mise à la) terre
impedance to ground	impédance par rapport à la terre
line-to-ground voltage, phase-to-ground voltage	tension phase-terre
overhead ground wire, shield wire, sky wire	câble de garde, fil de garde
phase-to-ground fault, single-line-to-ground fault	défaut phase-terre, défaut monophasé (à la terre)
phase-to-ground voltage, line-to-ground voltage	tension phase-terre
single-line-to-ground fault, phase-to-ground fault	défaut monophasé (à la terre), défaut phase-terre

three-phase-to-ground fault	défaut triphasé-terre
to ground	mettre à la terre
two-phase-to-ground fault	défaut biphasé à la terre, défaut biphasé-terre
grounding	mise à la terre (MALT)
grounding electrode, ground electrode	électrode de terre, prise de terre
guarantee	garantie
condition guarantee, station guarantee	garantie de non-intervention, dégagement
condition guarantees management, station guarantees management	gestion des garanties de non-intervention, gestion des dégagements
station guarantee, condition guarantee	garantie de non-intervention, dégagement
station guarantees management, condition guarantees management	gestion des garanties de non-intervention, gestion des dégagements
guide vane, wicket gate	directrice (d'une turbine)
guy, stay	hauban

H

harmonic	harmonique
even harmonic	harmonique pair
odd harmonic	harmonique impair
head	hauteur de chute
headrace (canal), intake canal	canal d'amenée

headrace tunnel, intake tunnel	galerie d'amenée
headwater level	niveau (d')amont
hertz (Hz)	hertz (Hz)
high voltage (HV)	haute tension (HT)
high voltage direct current (HVDC)	courant continu à haute tension (CCHT)
high-voltage winding	enroulement haute tension
high-water discharge, flood flow, flood (water) discharge	(débit de) hautes eaux, débit de crue, écoulement de crue
hold-off	retenue
hold-off listing	bilan des retenues
hold-off management	gestion des retenues
homopolar HVDC system	système CCHT homopolaire
hot spot	point chaud
hour	heure
off-peak hour	heure creuse
peak-load hour	heure de pointe
hunting	pendulaison, pompage
HV (high voltage)	HT (haute tension)
HVDC (high voltage direct current)	CCHT (courant continu à haute tension)
bipolar HVDC system	système CCHT bipolaire
homopolar HVDC system	système CCHT homopolaire
HVDC system	réseau CCHT
monopolar HVDC system, unipolar HVDC system	système CCHT monopolaire, système CCHT unipolaire

unipolar HVDC system, monopolar HVDC system	système CCHT unipolaire, système CCHT monopolaire
hydraulic control, hydraulic regulation	régularisation hydraulique
hydraulicity	hydraulicité
hydraulic regulation, hydraulic control	régularisation hydraulique
hydraulic reserve	réserve hydraulique
hydraulic structure	ouvrage hydraulique
hydroelectric generating station	centrale hydroélectrique, centrale hydraulique
hydrological year, water year, rainfall year	année hydrologique
Hydro-Québec system	réseau d'Hydro-Québec
Hz (hertz)	Hz (hertz)

I

ice	glace
ice cover	couverture de glace
impedance	impédance
characteristic impedance	impédance caractéristique
impedance to ground	impédance par rapport à la terre
series impedance	impédance série

import	importation
loss of import	perte d'importation
impulse withstand voltage	tension de tenue au choc
inadvertent energy	énergie involontaire
incoming voltage	tension d'entrée, tension nouvelle
increase, rise	hausse, montée
increase in frequency, frequency rise	hausse de fréquence, montée de fréquence
level increase, level rise	élévation de niveau, hausse de niveau
load increase	montée de charge, montée de puissance
power increase, power rise	hausse de puissance
voltage rise, voltage increase	hausse de tension
incremental cost	coût supplémentaire
independent power producer (IPP), small power producer	producteur autonome, producteur indépendant
indication, signaling	signalisation
alarm indication table	tableau de signalisation d'alarmes
local (status) indication	signalisation locale
remote indication, teleindication	télésignalisation
remote (status) indication	signalisation à distance
state indication table	tableau d'état
telecontrolled (status) indication	signalisation en télécommande
indicator	indicateur
fault indicator	indicateur de défauts
indicator light	voyant lumineux
indicator panel	tableau indicateur

water level indicator, limnimeter	limnimètre
individual operating mode	mode d'exploitation en commande individuelle
inductance	inductance
commutation inductance	inductance de commutation
induction	induction
inductive load, lagging load	charge inductive
inductive power	puissance inductive
(inductive) voltage transformer	transformateur de tension (à induction)
inductor, reactor	(bobine d')inductance
inflow, yield, cumulative flow	apports
inflow forecast	prévision d'apports
lateral inflow, local inflow	apports intermédiaires
local inflow, lateral inflow	apports intermédiaires
natural inflow	apports naturels
regulated inflow	apports régularisés
stored inflow, stored flow	apports stockés
unproductive inflow	apports improductifs
injection	injection
in phase	en phase
in-phase closing	fermeture en phase
input	entrée
input signal	signal d'entrée

inrush	appel
inrush current, surge current	courant d'appel
insertion	insertion
insertion resistor	résistance d'insertion
instability	instabilité
dynamic-state instability	instabilité en régime dynamique
steady-state instability	instabilité en régime permanent
transient-state instability	instabilité en régime transitoire
installation	installation
installed capacity	puissance installée
instantaneous overcurrent protection	protection instantanée à maximum de courant
instantaneous protection	protection instantanée, protection rapide
instantaneous rate-of-rise protection	protection instantanée à temps de croissance
instruction	instruction
safety instruction	consigne de sécurité
instrument transformer	transformateur de mesure
combined instrument transformer, combined transformer	transformateur combiné, combiné de mesure
insulating transformer	transformateur d'isolation
insulation	isolement
insulation level	niveau d'isolement

insulator	isolateur
insulator type transformer	transformateur type isolateur
in synchronism	en synchronisme
intake	amenée
intake canal, headrace (canal)	canal d'amenée
intake tunnel, headrace tunnel	galerie d'amenée
integrated outage program, equipment withdrawal listing	bilan des retraits
integrated system	réseau intégré
interconnected system	réseau interconnecté
interconnection, tie	interconnexion
asynchronous interconnection, asynchronous tie	interconnexion asynchrone
interconnection capacity	capacité d'interconnexion
interconnection line, tie line	ligne d'interconnexion
synchronous interconnection, synchronous tie	interconnexion synchrone
interlock	verrouillage
to interlock, to lock	verrouiller
intermittent fault	défaut intermittent
internal priority requirements	besoins prioritaires internes
internal system load	consommation intérieure
interruptible energy	énergie interruptible
interruptible load	charge interruptible
interruptible power	puissance interruptible

interrupting capacity, breaking capacity	pouvoir de coupure, puissance de coupure
interruption	interruption
contractual interruption	interruption contractuelle
customer average interruption duration index (CAIDI)	durée moyenne d'interruption par client (DMC)
scheduled interruption, scheduled outage, planned outage	interruption programmée
system average interruption frequency index (SAIDI)	fréquence (moyenne d'interruption)
voluntary interruption	interruption volontaire
intervention	intervention
inverse protection, slow-acting protection, slow-operating protection, retarded protection	protection (à action) lente
inversion, inverter operation, inverter mode	fonctionnement en onduleur
inverter	onduleur
inverter mode, inverter operation, inversion	fonctionnement en onduleur
inverter operation, inversion, inverter mode	fonctionnement en onduleur
IPP (independent power producer), small power producer	producteur autonome, producteur indépendant
island	îlot
to island	îloter
islanded system	réseau îloté

islanding	îlotage
isolate [to]	isoler
isolated	isolé
isolated from system, separated from system	détaché du réseau
isolated system	réseau isolé
isolating switch, disconnecting switch, disconnector	sectionneur
isolating transformer	transformateur de séparation de circuits, transformateur d'isolement

J

jumper	bretelle

K

kilovar (kvar)	kilovar (kvar)
kilovolt (kV)	kilovolt (kV)
kilovolt-ampere (kVA)	kilovolt-ampère (kVA)
kilowatt (kW)	kilowatt (kW)
kilowatthour (kWh)	kilowattheure (kWh)

kV (kilovolt)	kV (kilovolt)
kVA (kilovolt-ampere)	kVA (kilovolt-ampère)
kvar (kilovar)	kvar (kilovar)
kW (kilowatt)	kW (kilowatt)
kWh (kilowatthour)	kWh (kilowattheure)

■ L

lag	décalage
flow lag	décalage de débit
lag(ging)	retard
lagging load, inductive load	charge inductive
lateral inflow, local inflow	apports intermédiaires
leading load, capacitive load	charge capacitive
leakage	fuite
level	niveau
alarm level	cote d'alerte
fluctuation (of water level), variation of water level	marnage
headwater level	niveau (d')amont
insulation level	niveau d'isolement
level increase, level rise	élévation de niveau, hausse de niveau
level rise, level increase	élévation de niveau, hausse de niveau
maximum operating level	niveau maximal d'exploitation
minimum operating level	niveau minimal d'exploitation
tailwater level	niveau (d')aval

variation of water level, fluctuation (of water level)	marnage
voltage level	niveau de tension
water level	niveau d'eau
water level indicator, limnimeter	limnimètre
LFC (load-frequency control)	RFP (réglage fréquence-puissance)
limit	limite
current limit	limite de courant
fixed limit	seuil fixe
frequency limit	limite de fréquence
generation limit	limite de production
limit encroachment, limit violation	dépassement de seuil
limits table	tableau des seuils
limit violation, limit encroachment	dépassement de seuil
low-voltage current limit (LVCL)	limiteur de courant dépendant de la tension (LCDT)
normal operating limit	seuil normal d'exploitation
power limit	limite de puissance
speed limit	limite de vitesse
stability limit	limite de stabilité
transmission limit	limite de transit
variable limit	seuil variable
voltage limit	limite de tension
limiter	limiteur
current limiter	limiteur de courant
limnimeter, water level indicator	limnimètre
line	ligne
backup line, standby line	ligne de secours, ligne de réserve
bipolar line	ligne bipolaire

branch line, T tap, tap-off	(ligne en) dérivation
double line feeder	départ double
ground electrode line	ligne de terre
interconnection line, tie line	ligne d'interconnexion
line feeder	départ
line feeder ready	départ préparé
line-to-ground voltage, phase-to-ground voltage	tension phase-terre
line-to-line fault, phase-to-phase fault	défaut biphasé
line-to-line voltage, phase-to-phase voltage, line voltage	tension entre phases, tension phase-phase, tension composée
line-to-neutral voltage, phase-to-neutral voltage	tension simple, tension phase-neutre
line trap, wave trap	circuit bouchon
line voltage, phase-to-phase voltage, line-to-line voltage	tension phase-phase, tension entre phases, tension composée
low-voltage distribution line	ligne de distribution (à) basse tension
medium-voltage distribution line	ligne de distribution (à) moyenne tension
monopolar line, unipolar line	ligne monopolaire, ligne unipolaire
natural load (of a line)	puissance caractéristique (d'une ligne), puissance naturelle (d'une ligne)
one-line diagram, single-line diagram	schéma unifilaire
overhead line	ligne aérienne
parallel line feeder	départ parallèle
single-line diagram, one-line diagram	schéma unifilaire
single line feeder	départ simple
single-line-to-ground fault, phase-to-ground fault	défaut monophasé (à la terre), défaut phase-terre
standby line, backup line	ligne de réserve, ligne de secours
subtransmission line	ligne de répartition
transmission line	ligne de transport
underground line, underground cable	ligne souterraine

unipolar line, monopolar line	ligne unipolaire, ligne monopolaire
link	liaison
AC link, alternating-current link	liaison à courant alternatif, liaison en courant alternatif
alternating-current link, AC link	liaison à courant alternatif, liaison en courant alternatif
asynchronous link	liaison asynchrone
DC link, direct-current link	liaison à courant continu, liaison en courant continu
direct-current link, DC link	liaison à courant continu, liaison en courant continu
microwave link	liaison hertzienne
multiterminal link	liaison multiterminale
radial link	liaison radiale
live, alive, energized	sous tension
load	charge
active load, real load	charge active, charge réelle
automatic load shedding	délestage automatique
balanced load	charge équilibrée
base load	charge de base, puissance de base
base-load generating station	centrale de base
bulk load shedding	délestage en bloc
capacitive load, leading load	charge capacitive
cold-load pickup	prise de charge froide
connected load, connected power	charge raccordée, puissance raccordée
controlled load shedding, selective load shedding	délestage sélectif
cyclic load shedding	délestage cyclique
dump load	charge de lissage
inductive load, lagging load	charge inductive
internal system load	consommation intérieure
interruptible load	charge interruptible
lagging load, inductive load	charge inductive
leading load, capacitive load	charge capacitive

load centre	centre de consommation
load curve, loading diagram	courbe de charge, diagramme de charge
load duration curve	diagramme de charges classées, monotone de charge(s), monotone de puissances classées, courbe de puissances classées
load factor	facteur de charge
load flow, power flow	transit de puissance ; répartition de puissance (calculée) ; répartition de puissance (mesurée)
load-flow capacity, power-flow capacity, transfer capacity	capacité de transit
load forecast	prévision de la demande ; prévision des charges
load-frequency controller	régulateur fréquence-puissance
load-frequency control (LFC)	réglage fréquence-puissance (RFP)
load-frequency mode, frequency power mode	mode fréquence-puissance
load increase	montée de charge, montée de puissance
load management	gestion de la consommation
load pickup, load restoration	prise de charge
load reduction	baisse de charge
load restoration, load pickup	prise de charge
load shedding	délestage
load-shedding control	automatisme de délestage
load-shedding device	délesteur
load transfer	report de charge, transfert de charge
load unbalance	déséquilibre de charges
local load	charge locale
loss of load	perte de charge
manual load shedding	délestage manuel
minimum load	creux de charge, charge minimale
natural load (of a line)	puissance caractéristique (d'une ligne), puissance naturelle (d'une ligne)
off-load	hors charge

on-load	en charge
on-load operation	marche en production
peak load	pointe de charge
peak-load generating station	centrale de pointe
peak-load hour	heure de pointe
permissible load	charge admissible
primary loads, priority requirements	besoins prioritaires
putting off-load	mise hors charge
putting on-load	mise en charge
radial load	charge radiale
reactive load	charge imaginaire, charge réactive
real load, active load	charge réelle, charge active
remote load shedding	télédélestage
remote load shedding control	automatisme de télédélestage
selective load shedding, controlled load shedding	délestage sélectif
shed load	charge délestée, puissance délestée
speed no-load	marche à vide
speed no-load (nonsynchronized)	marche à vide hors réseau
speed no-load (synchronized)	marche à vide en réseau
to put off-load	mettre hors charge
to put on-load	mettre en charge
total system load, requirements total demand	besoins globaux
unbalanced load	charge déséquilibrée, charge non équilibrée
loading diagram, load curve	diagramme de charge, courbe de charge
local automatic control	automatisme local
local control	commande locale
local inflow, lateral inflow	apports intermédiaires

local load	charge locale
local operating mode	mode d'exploitation en commande locale
local (status) indication	signalisation locale
location of permanent identification	adresse de repérage électrique, repère électrique
lock [to], to interlock	verrouiller
locked-in capacity, bottled power, bottled capacity, locked-in power	puissance captive
locked-in power, bottled power, bottled capacity, locked-in capacity	puissance captive
log	journal (de bord) ; bille
exchange log, transaction log	journal des échanges
generation log	journal de production
log chute, logway	passe à bois (flottants), passe à billes
log running, drive, river drive	flottage (de bois)
log sheet	relevé de charges
operations log	journal d'exploitation
system control log	journal de conduite de réseau
transaction log, exchange log	journal des échanges
logway, log chute	passe à billes, passe à bois (flottants)
long term	long terme
very long term	très long terme
loop	boucle
closed loop	boucle fermée

closed-loop control, feedback control	asservissement
control loop	boucle de régulation, boucle d'asservissement
open loop	boucle ouverte
service loop, service drop	branchement
loss	perte
corona losses	pertes par effet (de) couronne
(electric) losses	pertes (électriques)
loss factor	facteur de pertes
loss of availability	perte de disponibilité
loss of export	perte d'exportation
loss of (generating) capacity	perte de production
loss of import	perte d'importation
loss of load	perte de charge
loss of synchronism	perte de synchronisme, rupture de synchronisme, décrochage
reactive losses	pertes réactives
resistive losses	pertes résistives
low frequency	basse fréquence
low voltage (LV)	basse tension (BT)
low-voltage current limit (LVCL)	limiteur de courant dépendant de la tension (LCDT)
low-voltage distribution line	ligne de distribution (à) basse tension
low-voltage winding	enroulement basse tension
lubricating system	système de graissage, système de lubrification
lubrication	graissage, lubrification
LV (low voltage)	BT (basse tension)
LVCL (low-voltage current limit)	LCDT (limiteur de courant dépendant de la tension)

main protection, primary protection	protection principale
main system	réseau principal
maintenance	entretien
maintenance schedule	calendrier d'entretien, programme d'entretien
scheduled maintenance	entretien programmé
unscheduled maintenance	entretien non programmé
making capacity	pouvoir de fermeture
malfunction, misoperation	fonctionnement incorrect
management	gestion
alarm and fault management	gestion des alarmes et des anomalies
condition guarantees management, station guarantees management	gestion des garanties de non-intervention, gestion des dégagements
demand management	gestion de la demande
energy management system (EMS)	système de gestion d'énergie
exchange management	gestion des échanges
hold-off management	gestion des retenues
load management	gestion de la consommation
outage management	gestion des retraits
station guarantees management, condition guarantees management	gestion des garanties de non-intervention, gestion des dégagements

supply management	gestion de l'offre
system management	gestion de réseau
water-resource system management	gestion des systèmes hydriques
work permits management	gestion des autorisations de travail
manhole, splicing chamber, cable vault	chambre de raccordement
transformer manhole, transformer vault	chambre de transformateurs
manipulated variable, control variable	grandeur de commande, grandeur réglante
manual generation rejection	rejet de production manuel
manual load shedding	délestage manuel
manual shutdown	arrêt manuel
manual start	démarrage manuel
manual synchronization, manual synchronizing	synchronisation manuelle
manual synchronizing, manual synchronization	synchronisation manuelle
marginal cost	coût marginal
marginal value of water	valeur marginale de l'eau
master station	poste maître (de téléconduite)
maximum	maximum
maximum capacity, maximum power	puissance maximale

maximum flow table	tableau des transits maximums, tableau des transits maximaux
maximum operating level	niveau maximal d'exploitation
maximum power, maximum capacity	puissance maximale
maximum usable flow, plant capacity flow	débit maximal turbinable, débit équipé, débit d'équipement
maximum voltage	tension maximale
measure	mesure
emergency measures	mesures d'urgence
measurement	mesure
measuring	mesurage
medium term	moyen terme
medium voltage (MV)	moyenne tension (MT)
medium-voltage distribution line	ligne de distribution (à) moyenne tension
megavar (Mvar)	mégavar (Mvar)
megavolt-ampere (MVA)	mégavolt-ampère (MVA)
megawatt (MW)	mégawatt (MW)
megawatthour (MWh)	mégawattheure (MWh)
mesh(ed) system, grid (system)	réseau maillé
metalclad busbar, shielded busbar	barre blindée
metallic return	retour métallique
meter	compteur

metering	comptage
microwave	micro-onde
microwave beam	faisceau hertzien
microwave link	liaison hertzienne
mimic diagram	schéma synoptique
mimic diagram board	tableau synoptique
minimum	minimum
minimum capacity, minimum power	puissance minimale
minimum discharge, minimum flow	débit minimal
minimum flow, minimum discharge	débit minimal
minimum load	charge minimale, creux de charge
minimum operating level	niveau minimal d'exploitation
minimum power, minimum capacity	puissance minimale
minimum voltage	tension minimale
misfiring, firing failure	défaut d'allumage
misoperation, malfunction	fonctionnement incorrect
mobile radio station	poste mobile (de radiocommunications), station mobile (de radiocommunications)
mode	mode
current mode	mode courant
degraded mode	mode dégradé
emergency operating mode	mode d'exploitation d'urgence
frequency power mode, load-frequency mode	mode fréquence-puissance
individual operating mode	mode d'exploitation en commande individuelle

inverter mode, inversion, inverter operation	fonctionnement en onduleur
load-frequency mode, frequency power mode	mode fréquence-puissance
local operating mode	mode d'exploitation en commande locale
normal operating mode	mode d'exploitation normal
parallel mode operation	marche en parallèle
power mode	mode puissance
radial operating mode	mode d'exploitation radial
reactive-power mode	mode puissance réactive
rectifier mode, rectifier operation, rectification	fonctionnement en redresseur
remote operating mode	mode d'exploitation à distance
risk mode	mode risque
simultaneous command operating mode	mode d'exploitation en commande collective
voltage mode	mode tension
monitoring	surveillance
permanent monitoring of generating units (SUPER)	surveillance permanente des groupes turbines-alternateurs (SUPER)
monopolar, single pole, unipolar	monopolaire, unipolaire
monopolar HVDC system, unipolar HVDC system	système CCHT monopolaire, système CCHT unipolaire
monopolar line, unipolar line	ligne monopolaire, ligne unipolaire
multiterminal link	liaison multiterminale
mutual assistance	entraide
MV (medium voltage)	MT (moyenne tension)
MVA (megavolt-ampere)	MVA (mégavolt-ampère)
Mvar (megavar)	Mvar (mégavar)

MW (megawatt)	MW (mégawatt)
MWh (megawatthour)	MWh (mégawattheure)

N

nameplate, rating plate	plaque signalétique
natural inflow	apports naturels
natural load (of a line)	puissance caractéristique (d'une ligne), puissance naturelle (d'une ligne)
negative booster	dévolteur
negative booster transformer, negative boosting transformer	transformateur dévolteur
negative boosting transformer, negative booster transformer	transformateur dévolteur
negative rectifier bridge	pont bêche
neighboring system	réseau voisin
net exchange	échange net
actual net exchange	échange net réel
net export	solde exportateur
net generation (of a generating station)	production nette (d'une centrale)

neutral	neutre
line-to-neutral voltage, phase-to-neutral voltage	tension phase-neutre, tension simple
neutral point (of a transformer, of a regulator, etc.)	point neutre (d'un transformateur, d'un régulateur, etc.)
neutral protection	protection de neutre
phase-to-neutral voltage, line-to-neutral voltage	tension phase-neutre, tension simple
node	nœud
nominal capacity	puissance nominale
nominal current	courant nominal
nominal voltage	tension nominale
non available, unavailable, not available	indisponible
non-standard test	essai hors norme
normal condition	condition normale
normal operating conditions	régime d'exploitation normal
normal operating limit	seuil normal d'exploitation
normal operating mode	mode d'exploitation normal
normal shutdown	arrêt normal
not available, unavailable, non available	indisponible
nuclear generating station	centrale nucléaire
nuisance operation, unwanted operation	fonctionnement intempestif

O

odd harmonic	harmonique impair
off	hors circuit
off-load	hors charge
off-peak	hors pointe
off-peak energy	énergie hors pointe
off-peak hour	heure creuse
off-peak period	période hors pointe, période creuse
off-system test	essai hors réseau
putting off-load	mise hors charge
putting off-potential	mise hors tension
switching off	mise hors circuit
tap-off, branch line, T tap	(ligne en) dérivation
to put off-load	mettre hors charge
to put off-potential	mettre hors tension
to switch off	mettre hors circuit
on	en circuit
on-load	en charge
on-load operation	marche en production
putting on-load	mise en charge
putting on-potential	mise sous tension
switching on	mise en circuit
to put on-load	mettre en charge
to put on-potential	mettre sous tension
to switch on	mettre en circuit
one-line diagram, single-line diagram	schéma unifilaire
opening	ouverture

open loop	boucle ouverte
operability	exploitabilité
operating code	code d'exploitation
operating condition	état d'exploitation
emergency operating conditions	régime d'exploitation d'urgence
operating conditions	régime
operating reserve	réserve d'exploitation
operating sequence	séquence de manœuvre
operating strategy	stratégie d'exploitation
operation	exploitation ; manœuvre ; fonctionnement ; marche
constant current operation	fonctionnement à courant constant
constant power operation	fonctionnement à puissance constante
correct operation	fonctionnement correct
inverter operation, inversion, inverter mode	fonctionnement en onduleur
nuisance operation, unwanted operation	fonctionnement intempestif
on-load operation	marche en production
operation criterion	critère d'exploitation
operations log	journal d'exploitation
parallel mode operation	marche en parallèle
rectifier operation, rectification, rectifier mode	fonctionnement en redresseur
unwanted operation, nuisance operation	fonctionnement intempestif
oscillation	oscillation
frequency oscillation	oscillation de fréquence
voltage oscillation	oscillation de tension

oscillograph	oscillographe
outage	panne
integrated outage program, equipment withdrawal listing	bilan des retraits
outage analysis, outage study	analyse de panne, étude de panne
outage code	code de retrait
outage management	gestion des retraits
outage plan	plan des retraits
outage request	demande de retrait
outage schedule	programme des retraits
outage scheduling	gestion prévisionnelle des retraits
outage sheet, system outages, system outage summary	bilan des indisponibilités
outage study, outage analysis	étude de panne, analyse de panne
scheduled outage, planned outage, scheduled interruption	interruption volontaire
system outages, outage sheet, system outage summary	bilan des indisponibilités
system outage summary, outage sheet, system outage	bilan des indisponibilités
out of phase	déphasé, hors phase
out-of-Québec delivery	livraison hors Québec
out of synchronism	hors synchronisme
out-of-system delivery	livraison hors réseau
output	sortie
output signal	signal de sortie
overcurrent	surintensité (de courant)
AC directional overcurrent protection	protection directionnelle à maximum de courant alternatif

AC time overcurrent protection	protection temporisée à maximum de courant alternatif
instantaneous overcurrent protection	protection instantanée à maximum de courant
overcurrent protection	protection à maximum de courant, protection de surintensité
overfrequency	surfréquence
overhead ground wire, shield wire, sky wire	câble de garde, fil de garde
overhead line	ligne aérienne
overload	surcharge
overspeed	survitesse
overvoltage	surtension
overvoltage protection	protection de surtension, protection à maximum de tension
permanent overvoltage	surtension permanente
switching overvoltage, switching surge	surtension de manœuvre
transient overvoltage	surtension transitoire

P

panel, board	tableau
control panel, control switchboard	tableau de commande
indicator panel	tableau indicateur
protection panel	tableau de protection

parallel	parallèle
parallel line feeder	départ parallèle
parallel mode operation	marche en parallèle
parallel resonance	résonance parallèle
to parallel	mettre en parallèle
paralleling	mise en parallèle
partial shutdown	arrêt partiel
pass [fish], fishway	passe à poissons
peak	pointe
energy at peak (time)	énergie à la pointe
off-peak	hors pointe
off-peak energy	énergie hors pointe
off-peak hour	heure creuse
off-peak period	période creuse, période hors pointe
peak discharge, peak flow	débit de pointe
peak flow, peak discharge	débit de pointe
peak load	pointe de charge
peak-load generating station	centrale de pointe
peak-load hour	heure de pointe
peak period	période de pointe
peak power	puissance de pointe
penstock	conduite forcée
period	période
off-peak period	période creuse, période hors pointe
peak period	période de pointe
permanent fault	défaut permanent
permanent monitoring of generating units (SUPER)	surveillance permanente des groupes turbines-alternateurs (SUPER)
permanent overvoltage	surtension permanente

permanent system identification	système d'identification permanente du réseau
permissible load	charge admissible
permissive transfer trip	téléaccélération
per unit (p.u.)	pour un, par unité (p.u.)
phase	phase
in phase	en phase
in-phase closing	fermeture en phase
out of phase	hors phase, déphasé
phase agreement, phase coincidence	concordance de phases
phase coincidence, phase agreement	concordance de phases
phase disagreement, phase unbalance	discordance de phases
phase disagreement protection, phase unbalance protection	protection de discordance de phases
phase displacement, phase shift	déphasage
phase protection	protection de phase
phase rotation, (phase) transposition	transposition (de phases)
phase shift, phase displacement	déphasage
phase shifter, phase-shifting transformer	convertisseur de phase, décaleur de phase, déphaseur
phase-shifting transformer, phase shifter	déphaseur, décaleur de phase, convertisseur de phase
phase-to-ground fault, single-line-to-ground fault	défaut phase-terre, défaut monophasé (à la terre)
phase-to-ground voltage, line-to-ground voltage	tension phase-terre
phase-to-neutral voltage, line-to-neutral voltage	tension phase-neutre, tension simple
phase-to-phase fault, line-to-line fault	défaut biphasé

phase-to-phase voltage, line-to-line voltage, line voltage	tension phase-phase, tension entre phases, tension composée
(phase) transposition, phase rotation	transposition (de phases)
phase unbalance, phase disagreement	discordance de phases
phase unbalance protection, phase disagreement protection	protection de discordance de phases
single phase	monophasé
three phase	triphasé
three-phase fault, symmetrical fault	défaut triphasé, défaut symétrique
three-phase-to-ground fault	défaut triphasé-terre
two-phase-to-ground fault	défaut biphasé-terre, défaut biphasé à la terre
pickup [load], load restoration	prise de charge
pilot	pilote
pilot wire	fil pilote
pilot-wire protection	protection par fil pilote
placing, putting	mise
plan	plan
emergency plan	plan d'urgence
outage plan	plan des retraits
restoration plan	plan de remise en charge
switching plan	plan de manœuvres
planned outage, scheduled interruption, scheduled outage	interruption programmée

plant	installation
generating plant, generating station, power plant, power station	centrale
generating plant, generating system	parc (d'équipement) de production
plant capacity flow, maximum usable flow	débit d'équipement, débit équipé, débit maximal turbinable
power plant, power station, generating plant, generating station	centrale
plug	bouchon
to plug in	embrocher
point	point
active-power set point	consigne de puissance active
connection point	point de raccordement
current set point	consigne de courant
delivery point, point of supply	point de livraison, point de fourniture
frequency set point	consigne de fréquence
generation-rejection set point	sélection de groupes assujettis au rejet de production
neutral point (of a transformer, of a regulator, etc.)	point neutre (d'un transformateur, d'un régulateur, etc.)
point of supply, delivery point	point de fourniture, point de livraison
reactive-power set point	consigne de puissance réactive
reactor disconnection set point	sélection d'inductances à débrancher
set point, set value	point de consigne, consigne, valeur de consigne
set-point command	commande par points de consigne, commande de valeur de consigne
set-point supervision	surveillance de consignes
speed set point	consigne de vitesse
voltage set point	consigne de tension

pole	pôle ; poteau
pole blocking	blocage de pôles
pole deblocking	déblocage de pôles
positive booster	survolteur
(positive) booster transformer	transformateur survolteur
positive rectifier bridge	pont tête
power	puissance
active power	puissance active, puissance réelle
active-power set point	consigne de puissance active
apparent power	puissance apparente
auxiliary power supply	alimentation auxiliaire
available power, available capacity	puissance disponible
bottled power, bottled capacity, locked-in power, locked-in capacity	puissance captive
bulk power system, generation and transmission system	réseau de production-transport, réseau de production et de transport
capacitive power	puissance capacitive
capacity power, emergency power	puissance de soutien
connected power, connected load	puissance raccordée, charge raccordée
constant power operation	fonctionnement à puissance constante
demand power, demand set up	puissance appelée
directional power protection	protection de puissance directionnelle
diversity power	puissance de diversité
emergency power, capacity power	puissance de soutien
firm (electric) power	électricité garantie, électricité régulière
firm power, firm capacity	puissance garantie

firm-power requirements	besoins d'électricité régulière
frequency power mode, load-frequency mode	mode fréquence-puissance
frequency power modulation	modulation de fréquence-puissance
independent power producer (IPP), small power producer	producteur autonome, producteur indépendant
inductive power	puissance inductive
interruptible power	puissance interruptible
locked-in power, locked-in capacity, bottled power, bottled capacity	puissance captive
maximum power, maximum capacity	puissance maximale
minimum power, minimum capacity	puissance minimale
peak power	puissance de pointe
power balance	bilan de puissance
power factor	facteur de puissance
power failure	panne
power flow, load flow	transit de puissance ; répartition de puissance (calculée) ; répartition de puissance (calculée)
power-flow capacity, load-flow capacity, transfer capacity	capacité de transit
power fluctuation, power variation	variation de puissance
power increase, power rise	hausse de puissance
power limit	limite de puissance
power mode	mode puissance
power plant, generating station, power station, generating plant	centrale
power reduction	baisse de puissance
power regulator	régulateur de puissance
power reserve	réserve en puissance
power rise, power increase	hausse de puissance
power stabilizer	stabilisateur de puissance

power station, generating station, power plant, generating plant	centrale
power surplus	surplus de puissance
power swing	excursion de puissance, oscillation de puissance
(power) system	réseau
power system control	conduite de réseau
power transformer	transformateur de puissance
power variation, power fluctuation	variation de puissance
power variation rate	taux de variation de puissance
rated power, rated capacity	puissance assignée
reactive power, wattless power	puissance réactive, réactif, puissance imaginaire
reactive-power mode	mode puissance réactive
reactive-power regulator	régulateur de puissance réactive
reactive-power set point	consigne de puissance réactive
short-term power	puissance à court terme
small power producer, independant power producer (IPP)	producteur autonome, producteur indépendant
wattless power, reactive power	puissance réactive, réactif, puissance imaginaire
premature spill, early spill	déversement prématuré
pressurization system	système de pressurisation
primary loads, priority requirements	besoins prioritaires
primary protection, main protection	protection principale
primary winding	enroulement primaire
priority consumption	consommation prioritaire

priority requirements, primary loads	besoins prioritaires
internal priority requirements	besoins prioritaires internes
procedure	méthode
self-protection procedure	régime d'autoprotection
program, schedule	programme
integrated outage program, equipment withdrawal listing	bilan des retraits
protected area	zone protégée
protection	protection
AC directional overcurrent protection	protection directionnelle à maximum de courant alternatif
AC time overcurrent protection	protection temporisée à maximum de courant alternatif
backup protection	protection de secours, protection de réserve
current-balance protection	protection à équilibre de courant
differential protection	protection différentielle
directional power protection	protection de puissance directionnelle
distance protection	protection de distance
frequency protection	protection de fréquence
instantaneous overcurrent protection	protection instantanée à maximum de courant
instantaneous protection	protection instantanée, protection rapide
instantaneous rate-of-rise protection	protection instantanée à temps de croissance
inverse protection, slow-acting protection, slow-operating protection, retarded protection	protection (à action) lente

main protection, primary protection	protection principale
neutral protection	protection de neutre
overcurrent protection	protection de surintensité, protection à maximum de courant
overvoltage protection	protection à maximum de tension, protection de surtension
phase disagreement protection, phase unbalance protection	protection de discordance de phases
phase protection	protection de phase
phase unbalance protection, phase disagreement protection	protection de discordance de phases
pilot-wire protection	protection par fil pilote
primary protection, main protection	protection principale
protection device	appareil de protection
protection panel	tableau de protection
retarded protection, slow-acting protection, slow-operating protection, inverse protection	protection (à action) lente
self-protection procedure	régime d'autoprotection
slow-acting protection, slow-operating protection, retarded protection, inverse protection	protection (à action) lente
slow-operating protection, slow-acting protection, inverse protection, retarded protection	protection (à action) lente
time-delay protection	protection (à action) différée, protection temporisée
time-delay stopping or opening protection	protection temporisée associée au déclenchement de séquences de protection et d'automatisme
undercurrent protection	protection à minimum de courant
underpower protection	protection à minimum de puissance

undervoltage protection	protection de sous-tension, protection à minimum de tension, protection de subtension
voltage-balance protection	protection à équilibre de tension
pulse	impulsion ; pulsation
gate pulse	impulsion de gâchette
grid pulse	impulsion de grille
pulse number	indice de pulsation
pumped-storage generating station	centrale de pompage
p.u. (per unit)	p.u. (pour un, par unité)
purchase	achat
put [to]	mettre
to put off-load	mettre hors charge
to put off-potential	mettre hors tension
to put on-load	mettre en charge
to put on-potential	mettre sous tension
putting, placing	mise
putting off-load	mise hors charge
putting off-potential	mise hors tension
putting on-load	mise en charge
putting on-potential	mise sous tension

Q

quality of service	qualité de service
Québec requirements	besoins québécois

R

radial	radial, en antenne
radial feed (of load)	alimentation radiale (de charge)
radial link	liaison radiale
radial load	charge radiale
radial operating mode	mode d'exploitation radial
radial system	réseau radial
sectionalized radial system	réseau radial à coupure de ligne
radiocommunication	radiocommunication
rainfall year, water year, hydrological year	année hydrologique
range	domaine ; plage
control range, regulation range, regulating range, setting range	domaine de réglage, plage de régulation, plage réglante, plage de réglage
regulating range, regulation range, control range, setting range	plage de régulation, plage de réglage, plage réglante, domaine de réglage
regulation range, regulating range, control range, setting range	plage de régulation, plage de réglage, plage réglante, domaine de réglage
setting range, regulation range, control range, regulating range	plage réglante, plage de réglage, domaine de réglage, plage de régulation
voltage range	plage de tension
rate	taux
availability rate	taux de disponibilité
flow variation rate	taux de variation de débit

instantaneous rate-of-rise protection	protection instantanée à temps de croissance
power variation rate	taux de variation de puissance
storage rate	taux d'emmagasinement
unavailability rate	taux d'indisponibilité
voltage variation rate	taux de variation de tension
water recovery rate	taux de récupération d'eau
rated capacity, rated power	puissance assignée
rated current	courant assigné
rated power, rated capacity	puissance assignée
rated voltage	tension assignée
rating	régime nominal
exceeding rating, excess of rating	surpuissance
excess of rating, exceeding rating	surpuissance
rating plate, nameplate	plaque signalétique
reactance	réactance
capacitive reactance	capacitance
commutation reactance	réactance de commutation
reactive load	charge imaginaire, charge réactive
reactive losses	pertes réactives
reactive power, wattless power	puissance imaginaire, réactif, puissance réactive
reactive-power mode	mode puissance réactive
reactive-power regulator	régulateur de puissance réactive
reactive-power set point	consigne de puissance réactive

reactor, inductor	(bobine d')inductance
DC reactor, smoothing reactor	inductance de lissage
reactor disconnection set point	sélection d'inductances à débrancher
series reactor	inductance série
shunt reactor	inductance shunt
smoothing reactor, DC reactor	inductance de lissage
reading	lecture
readings table	tableau de mesures
remote reading (of meters)	télélecture (des compteurs)
real load, active load	charge active, charge réelle
real time	temps réel
real-time system control	conduite en temps réel
real-time test, system test	essai en réseau
recloser, reclosing device	réenclencheur
reclosing	réenclenchement
reclosing control	automatisme de réenclenchement
reclosing device, recloser	réenclencheur
recorder	enregistreur
disturbance recorder	oscilloperturbographe
sequence-of-events recorder, sequential-events recorder (SER), sequential-events recording system (SERS)	enregistreur chronologique d'événements (ECE)
sequential-events recorder (SER), sequential-events recording system (SERS), sequence-of-events recorder	enregistreur chronologique d'événements (ECE)

recording	enregistrement
sequential-events recording system (SERS), sequential-events recorder (SER), sequence-of-events recorder	enregistreur chronologique d'événements (ECE)
recovery	récupération
water recovery rate	taux de récupération d'eau
rectification, rectifier operation, rectifier mode	fonctionnement en redresseur
rectifier	redresseur
controlled rectifier, thyristor	thyristor
negative rectifier bridge	pont bêche
positive rectifier bridge	pont tête
rectifier mode, rectifier operation, rectification	fonctionnement en redresseur
rectifier operation, rectification, rectifier mode	fonctionnement en redresseur
reduction	réduction ; baisse
frequency reduction, decrease in frequency	baisse de fréquence
load reduction	baisse de charge
power reduction	baisse de puissance
voltage reduction	baisse de tension
reference voltage, running voltage	tension de référence
regional control centre	centre d'exploitation régional (CER)
regulated flow	débit régularisé
regulated inflow	apports régularisés

regulating range, control range, regulation range, setting range	plage réglante, domaine de réglage, plage de régulation, plage de réglage
regulation	régulation
hydraulic regulation, hydraulic control	régularisation hydraulique
regulation range, control range, regulating range, setting range	plage de régulation, plage de réglage, plage réglante, domaine de réglage
voltage regulation, voltage control	réglage de tension
regulator	régulateur
frequency regulator	régulateur de fréquence
power regulator	régulateur de puissance
reactive-power regulator	régulateur de puissance réactive
voltage regulator	régulateur de tension
reject [to]	rejeter
rejection	rejet
automatic generation rejection	rejet de production automatique
automatic generation-rejection control	automatisme de rejet de production
generation rejection, generation shedding, generation dropping	rejet de production
generation-rejection set point	sélection de groupes assujettis au rejet de production
manual generation rejection	rejet de production manuel
relay	relais
relief	secours
remote close, remote closing	téléenclenchement

remote closing, remote close	téléenclenchement
remote control	commande à distance
automatic local controls and remote control based on distributed intelligence (ALCID)	automatismes locaux et conduite par intelligence distribuée (ALCID)
remote indication, teleindication	télésignalisation
remote load shedding	télédélestage
remote load-shedding control	automatisme de télédélestage
remote operating mode	mode d'exploitation à distance
remote reading (of meters)	télélecture (des compteurs)
remote (status) indication	signalisation à distance
remote transfer trip, remote trip(ping) control	automatisme de télédéclenchement
remote trip(ping), transfer trip(ping)	télédéclenchement
remote trip(ping) control, remote transfer trip	automatisme de télédéclenchement
remote tripping system	téléprotection
report	rapport
contingency report	rapport d'incident
events report	rapport d'événements
fault report	rapport de défaut
requirement	besoin
firm-power requirements	besoins d'électricité régulière
internal priority requirements	besoins prioritaires internes

priority requirements, primary loads	besoins prioritaires
Québec requirements	besoins québécois
requirements, total demand, total system load	besoins globaux
reserve	réserve
available reserve	réserve disponible
energy reserve	réserve en énergie
hydraulic reserve	réserve hydraulique
operating reserve	réserve d'exploitation
power reserve	réserve en puissance
reserve capacity	puissance de réserve
reserve on automatic generation control	puissance réglante
spinning reserve, synchronized reserve	réserve tournante, réserve synchronisée, réserve réglante
standby reserve	réserve arrêtée, réserve à l'arrêt
synchronized reserve, spinning reserve	réserve synchronisée, réserve tournante, réserve réglante
thermal reserve	réserve thermique
reservoir	réservoir
reservoir generating station	centrale à réservoir
reservoir withdrawal factor	facteur de prélèvement de réservoir
reset	rappel, réarmement ; retour
resistance	résistance
commutation resistance	résistance de commutation
resistive losses	pertes résistives
resistivity	résistivité
resistor	résistance
braking resistor	résistance de freinage
closing resistor	résistance d'enclenchement

damping resistor	résistance d'amortissement
insertion resistor	résistance d'insertion
tripping resistor	résistance de déclenchement
resonance	résonance
parallel resonance	résonance parallèle
subsynchronous resonance	résonance sous-synchrone, résonance hyposynchrone
response time	temps de réponse
restoration [load], load pickup	prise de charge
restoration plan	plan de remise en charge
restriction	restriction
restrictions table	tableau des restrictions
retarded protection, slow-acting protection, slow-operating protection, inverse protection	protection (à action) lente
return [metallic]	retour métallique
reverse voltage	tension inverse
rise, increase	montée, hausse
frequency rise, increase in frequency	montée de fréquence, hausse de fréquence
level rise, level increase	hausse de niveau, élévation de niveau
power rise, power increase	hausse de puissance
temperature rise	échauffement
voltage rise, voltage increase	hausse de tension
risk	risque
risk mode	mode risque

river-crossing tunnel	galerie sous-fluviale
river drive, drive, log running	flottage (de bois)
rotor	inducteur, rotor
route	route
routing [flood]	laminage de crue
run back	circuit de réduction de puissance
running voltage, reference voltage	tension de référence
run-of-river generating station	centrale au fil de l'eau

S

safety	sécurité
safety checklist	fiche de contrôle des mesures de sécurité
safety instruction	consigne de sécurité
work-safety code	code de travaux
sag	flèche
SAIFI (system average interruption frequency index)	fréquence (moyenne d'interruption)
satellite station	poste satellite (de téléconduite)
saturation	saturation

schedule, program	programme
delivery schedule	programme de livraison
exchange schedule	programme des échanges
generation schedule	programme de production
maintenance schedule	programme d'entretien, calendrier d'entretien
outage schedule	programme des retraits
service restoration schedule	programme de rétablissement de service
scheduled interruption, scheduled outage, planned outage	interruption programmée
scheduled maintenance	entretien programmé
scheduled outage, scheduled interruption, planned outage	interruption programmée
scheduling	ordonnancement
outage scheduling	programme des retraits
schematic diagram	schéma de principe
scroll case, spiral case, spiral casing, scroll casing	bâche spirale
scroll casing, spiral case, spiral casing, scroll case	bâche spirale
sea return	retour par la mer
secondary winding	enroulement secondaire
sectionalized radial system	réseau radial à coupure de ligne

sectionalizing	sectionnement
sectionalizing chamber, disconnecting chamber	chambre de sectionnement
sectorial locking method	méthode sectorielle de cadenassage
selective load shedding, controlled load shedding	délestage sélectif
selector switch	sélecteur, commutateur
self-commutation	autocommutation
self-excitation	autoexcitation
self-protection procedure	régime d'autoprotection
semiautomatic shutdown	arrêt semi-automatique
semiautomatic start	démarrage semi-automatique
sensor	capteur
separated from system, isolated from system	détaché du réseau
separation	séparation
system-separation control, system-partitioning control	automatisme de séparation de réseau
sequence	séquence
operating sequence	séquence de manœuvre
sequence-of-events recorder, sequential-events recorder (SER), sequential-events recording system (SERS)	enregistreur chronologique d'événements (ECE)
shutdown sequence	séquence d'arrêt
start-up sequence	séquence de démarrage

tripping sequence	séquence de déclenchement
sequential-events recorder (SER), sequential-events recording system (SERS), sequence-of-events recorder	enregistreur chronologique d'événements (ECE)
sequential-events recording system (SERS), sequential-events recorder (SER), sequence-of-events recorder	enregistreur chronologique d'événements (ECE)
SER (sequential-events recorder), SERS (sequential-events recording system), sequence-of-events recorder	ECE (enregistreur chronologique d'événements)
series	série
series capacitor	condensateur série
series compensation	compensation série
series compensator	compensateur série
series impedance	impédance série
series reactor	inductance série
SERS (sequential-events recording system), SER (sequential-events recorder), sequence-of-events recorder	ECE (enregistreur chronologique d'événements)
service	service
auxiliary services, auxiliaries	services auxiliaires
generating-station service	consommation de centrale
quality of service	qualité de service
service drop, service loop	branchement
service loop, service drop	branchement
service restoration	rétablissement de service
service restoration schedule	programme de rétablissement de service

service restorer	rétablisseur de service
set	groupe
active-power set point	consigne de puissance active
current set point	consigne de courant
demand set up, demand power	puissance appelée
exciter set	groupe d'excitation
frequency set point	consigne de fréquence
generating set	groupe électrogène
generation-rejection set point	sélection de groupes assujettis au rejet de production
reactive-power set point	consigne de puissance réactive
reactor disconnection set point	sélection d'inductances à débrancher
set point, set value	valeur de consigne, consigne, point de consigne
set-point command	commande par points de consigne, commande de valeur de consigne
set-point supervision	surveillance de consignes
set value, set point	valeur de consigne, consigne, point de consigne
speed set point	consigne de vitesse
voltage set point	consigne de tension
setting	réglage
setting range, control range, regulation range, regulating range	plage réglante, plage de réglage, plage de régulation, domaine de réglage
shaft	puits
shed load	charge délestée, puissance délestée
shield	blindage
shield wire, overhead ground wire, sky wire	câble de garde, fil de garde
shielded busbar, metalclad busbar	barre blindée

short circuit	court-circuit
short-circuit capacity	puissance de court-circuit
short-circuit current	courant de court-circuit
short-circuit study	étude de court-circuit
short term	court terme
short-term power	puissance à court terme
very short term	très court terme
shunt	shunt
dynamic shunt compensation	compensation shunt dynamique
shunt compensation	compensation shunt
shunt reactor	inductance shunt
shunting	shuntage
shutdown	arrêt
automatic shutdown	arrêt automatique
emergency shutdown	arrêt d'urgence
forced shutdown	arrêt forcé
manual shutdown	arrêt manuel
normal shutdown	arrêt normal
partial shutdown	arrêt partiel
semiautomatic shutdown	arrêt semi-automatique
shutdown sequence	séquence d'arrêt
SICC (station integrated computer control)	SICC (système informatisé de conduite de centrales)
signal	signal
feedback signal	signal de réaction
input signal	signal d'entrée
output signal	signal de sortie
signaling, indication	signalisation
simulator	simulateur

simultaneous command	commande collective
simultaneous command operating mode	mode d'exploitation en commande collective
single-line diagram, one-line diagram	schéma unifilaire
single line feeder	départ simple
single-line-to-ground fault, phase-to-ground fault	défaut monophasé (à la terre), défaut phase-terre
single phase	monophasé
single pole, monopolar, unipolar	monopolaire, unipolaire
sky wire, overhead ground wire, shield wire	câble de garde, fil de garde
slip	glissement
slow-acting protection, slow-operating protection, retarded protection, inverse protection	protection (à action) lente
slow-operating protection, slow-acting protection, retarded protection, inverse protection	protection (à action) lente
small power producer, independent power producer (IPP)	producteur autonome, producteur indépendant
smoothing	lissage
smoothing reactor, DC reactor	inductance de lissage

spacer	entretoise
spark gap	éclateur
sparkover	amorçage (d'arc)
specification	spécification
specific discharge	débit spécifique (débit par kilomètre carré)
speed	vitesse
speed deviation	écart de vitesse
(speed) governor	régulateur de vitesse
speed limit	limite de vitesse
speed no-load	marche à vide
speed no-load (nonsynchronized)	marche à vide hors réseau
speed no-load (synchronized)	marche à vide en réseau
speed set point	consigne de vitesse
synchronous speed	vitesse synchrone
spill, spillage	déversement
average spill	déversement moyen
early spill, premature spill	déversement prématuré
premature spill, early spill	déversement prématuré
spillage, spill	déversement
spillway	évacuateur de crue
uncontrolled spillway	déversoir
spinning reserve, synchronized reserve	réserve tournante, réserve synchronisée, réserve réglante
spiral case, spiral casing, scroll casing, scroll case	bâche spirale

spiral casing, spiral case, scroll casing, scroll case	bâche spirale
splicing chamber, cable vault, manhole	chambre de raccordement
stability	stabilité
dynamic stability	stabilité (en régime) dynamique
stability limit	limite de stabilité
stability study	étude de stabilité
static stability, steady-state stability	stabilité statique, stabilité en régime permanent
steady-state stability, static stability	stabilité en régime permanent, stabilité statique
transient stability	stabilité (en régime) transitoire
stabilizer	stabilisateur
power stabilizer	stabilisateur de puissance
stabilizing circuit	circuit stabilisateur
standard	norme
non-standard test	essai hors norme
standard time	étalon de temps, temps standard
standard(ized) test	essai normalisé
standby busbar	barre de réserve, barre de secours
standby line, backup line	ligne de réserve, ligne de secours
standby reserve	réserve à l'arrêt, réserve arrêtée
start	démarrage
aborted start, starting failure, unsatisfactory start	démarrage manqué, démarrage incomplet
automatic start	démarrage automatique
manual start	démarrage manuel

semiautomatic start	démarrage semi-automatique
start-up	mise en route
start-up sequence	séquence de démarrage
to start up	mettre en route
unsatisfactory start, aborted star, starting failure	démarrage manqué, démarrage incomplet
starting failure, aborted start, unsatisfactory start	démarrage manqué, démarrage incomplet
starting transformer	transformateur de démarrage
state	état ; régime
change of state	changement d'état
dynamic state	régime dynamique
dynamic-state instability	instabilité en régime dynamique
state estimation	estimation d'état
state estimator	estimateur d'état
state indication table	tableau d'état
steady state	régime établi, régime permanent
steady-state instability	instabilité en régime permanent
sub-transient state	régime sous-transitoire, régime subtransitoire
transient state	régime transitoire
transient-state instability	instabilité en régime transitoire
unbalanced state	régime déséquilibré
static compensator	compensateur statique
static stability, steady-state stability	stabilité en régime permanent, stabilité statique
station	station
base-load generating station	centrale de base
combustion-turbine generating station, gas-turbine generating station	centrale à turbine(s) à gaz

converter station	poste de conversion, station de conversion
diesel generating station	centrale diesel
fixed radio station	station fixe (de radiocommunications), poste fixe (de radiocommunications)
gas-fired generating station	centrale à gaz
gas-turbine generating station, combustion-turbine generating station	centrale à turbine(s) à gaz
generating station, generating plant, power station, power plant	centrale
generating-station diagram	schéma de centrale
generating-station service	consommation de centrale
hydroelectric generating station	centrale hydroélectrique, centrale hydraulique
master station	poste maître (de téléconduite)
mobile radio station	station mobile (de radiocommunications), poste mobile (de radiocommunications)
nuclear generating station	centrale nucléaire
peak-load generating station	centrale de pointe
power station, power plant, generating station, generating plant	centrale
pumped-storage generating station	centrale de pompage
reservoir generating station	centrale à réservoir
run-of-river generating station	centrale au fil de l'eau
satellite station	poste satellite (de téléconduite)
station guarantee, condition guarantee	garantie de non-intervention, dégagement
station guarantees management, condition guarantees management	gestion des garanties de non-intervention, gestion des dégagements
station integrated computer control (SICC)	système informatisé de conduite de centrales (SICC)

terminal station	station terminale
thermal generating station	centrale thermique
wind(-turbine) generating station	centrale éolienne
stator	armature, induit, stator
status	état
local (status) indication	signalisation locale
remote (status) indication	signalisation à distance
telecontrolled (status) indication	signalisation en télécommande
stay, guy	hauban
steady state	régime établi, régime permanent
steady-state instability	instabilité en régime permanent
steady-state stability, static stability	stabilité statique, stabilité en régime permanent
stoplogs	batardeaux, poutrelles
(storage) battery	batterie d'accumulateurs
storage rate	taux d'emmagasinement
stored flow, stored inflow	apports stockés
stored inflow, stored flow	apports stockés
structure	ouvrage
control structure, control works	ouvrage de régulation, ouvrage régulateur
hydraulic structure	ouvrage hydraulique
upstream structure	ouvrage (d')amont
study	étude
outage study, outage analysis	étude de panne, analyse de panne

short-circuit study	étude de court-circuit
stability study	étude de stabilité
subharmonic	sous-harmonique
submarine cable	câble sous-marin
substation	poste
attended substation	poste gardienné
(electric) substation	poste (électrique)
substation diagram	schéma de poste
unattended substation	poste non gardienné
subsynchronous resonance	résonance hyposynchrone, résonance sous-synchrone
sub-transient state	régime sous-transitoire, régime subtransitoire
subtransmission	répartition
subtransmission line	ligne de répartition
subtransmission system	réseau de répartition
supervision	surveillance
set-point supervision	surveillance de consignes
supplemental energy, conservation energy	énergie d'appoint
supply	alimentation ; fourniture ; offre
auxiliary power supply	alimentation auxiliaire
continuity of supply	continuité de service
point of supply, delivery point	point de fourniture, point de livraison
supply management	gestion de l'offre
surge arrester, surge diverter	parafoudre

surge chamber, surge tank	chambre d'équilibre, cheminée d'équilibre
surge current, inrush current	courant d'appel
surge diverter, surge arrester	parafoudre
surge tank, surge chamber	chambre d'équilibre, cheminée d'équilibre
susceptance	susceptance
switch	interrupteur
bypass switch	interrupteur de shuntage
changeover switch, throw-over switch	permutateur
disconnecting switch, isolating switch, disconnector	sectionneur
isolating switch, disconnecting switch, disconnector	sectionneur
selector switch	sélecteur, commutateur
throw-over switch, changeover switch	permutateur
to switch off	mettre hors circuit
to switch on	mettre en circuit
switchgear	appareillage de connexion
switching	manœuvre
switching device	appareil de coupure, appareil de connexion
switching error	erreur de manœuvre
switching off	mise hors circuit
switching on	mise en circuit
switching order	ordre de manœuvre
switching overvoltage, switching surge	surtension de manœuvre
switching plan	plan de manœuvres

switching surge, switching overvoltage	surtension de manœuvre
symmetrical fault, three-phase fault	défaut symétrique, défaut triphasé
symmetry	symétrie
synchronism	synchronisme
in synchronism	en synchronisme
loss of synchronism	perte de synchronisme, rupture de synchronisme, décrochage
out of synchronism	hors synchronisme
synchronization, synchronizing	synchronisation
automatic synchronization, automatic synchronizing	synchronisation automatique
automatic synchronization control	automatisme de synchronisation
manual synchronization, manual synchronizing	synchronisation manuelle
synchronize [to]	synchroniser
synchronized reserve, spinning reserve	réserve réglante, réserve synchronisée, réserve tournante
synchronized system	réseau synchrone
synchronizer	synchroniseur
automatic synchronizer, automatic synchroscope	synchronoscope automatique
synchronizing, synchronization	synchronisation
automatic synchronizing, automatic synchronization	synchronisation automatique
manual synchronizing, manual synchronization	synchronisation manuelle

synchronous compensator, synchronous condenser	compensateur synchrone
synchronous condenser, synchronous compensator	compensateur synchrone
synchronous interconnection, synchronous tie	interconnexion synchrone
synchronous machine	machine synchrone
synchronous speed	vitesse synchrone
synchronous tie, synchronous interconnection	interconnexion synchrone
synchroscope	synchronoscope
automatic synchroscope, automatic synchronizer	synchronoscope automatique
system	système
AC system, alternating-current system	réseau à courant alternatif
alternating-current system, AC system	réseau à courant alternatif
autonomous electrical system	réseau autonome
bipolar HVDC system	système CCHT bipolaire
braking system	système de freinage
bulk power system, generation and transmission system	réseau de production-transport, réseau de production et de transport
busbar system, busbars	jeu de barres
compressed air system	système d'air comprimé
cooling system	système de refroidissement
distribution system	réseau de distribution
distribution system inventory	inventaire du réseau de distribution
electrical system	réseau électrique

energy management system (EMS)	système de gestion d'énergie
excitation system	système d'excitation
fire-fighting system	système d'extinction d'incendie
generation and transmission system, bulk power system	réseau de production et de transport, réseau de production-transport
generating system, generating plant	parc (d'équipement) de production
grid (system), mesh(ed) system	réseau maillé
homopolar HVDC system	système CCHT homopolaire
HVDC system	réseau CCHT
Hydro-Québec system	réseau d'Hydro-Québec
integrated system	réseau intégré
interconnected system	réseau interconnecté
internal system load	consommation intérieure
islanded system	réseau îloté
isolated from system, separated from system	détaché du réseau
isolated system	réseau isolé
lubricating system	système de graissage, système de lubrification
main system	réseau principal
mesh(ed) system, grid (system)	réseau maillé
monopolar HVDC system, unipolar HVDC system	système CCHT monopolaire, système CCHT unipolaire
neighboring system	réseau voisin
off-system test	essai hors réseau
out-of-system delivery	livraison hors réseau
permanent system identification	système d'identification permanente du réseau
(power) system	réseau
power system control	conduite de réseau
pressurization system	système de pressurisation
radial system	réseau radial
real-time system control	conduite en temps réel
remote tripping system	téléprotection
sectionalized radial system	réseau radial à coupure de ligne

separated from system, isolated from system	détaché du réseau
sequential-events recording system, (SERS), sequential-events recorder (SER), sequence-of-events recorder	enregistreur chronologique d'événements (ECE)
subtransmission system	réseau de répartition
synchronized system	réseau synchrome
system average interruption duration index (SAIDI)	indice de continuité
system average interruption frequency index (SAIFI)	fréquence (moyenne d'interruption)
system configuration	architecture de réseau, configuration de réseau
system control centre	centre de conduite du réseau (CCR)
system control log	journal de conduite de réseau
system management	gestion de réseau
system outages, outage sheet, system outage summary	bilan des indisponibilités
system outage summary, outage sheet, system outages	bilan des indisponibilités
system-partitioning control, system-separation control	automatisme de séparation de réseau
system restoration	remise en charge de réseau
system-separation control, system-partitioning control	automatisme de séparation de réseau
system test, real-time test	essai en réseau
system time	temps réseau, temps synchrone
system topology	topologie de réseau
total system load, requirements, total demand	besoins globaux
unipolar HVDC system, monopolar HVDC system	système CCHT unipolaire, système CCHT monopolaire
ventilation system	système de ventilation, système d'aération
water-resource system	système hydrique
water-resource system management	gestion des systèmes hydriques

T

table	tableau
alarm indication table	tableau de signalisation d'alarmes
events and alarms table	tableau d'événements et d'alarmes
limits table	tableau des seuils
maximum flow table	tableau des transits maximums, tableau des transits maximaux
readings table	tableau de mesures
restrictions table	tableau des restrictions
state indication table	tableau d'état
tag	étiquette
tagging	condamnation matérielle
tailbay, afterbay	bief (d')aval
tailrace (canal)	canal de fuite
tailrace tunnel	galerie de fuite
tailwater level	niveau (d')aval
tap	prise
tap changer	changeur de prises
tap-off, branch line, T tap	(ligne en) dérivation
tap selector	sélecteur de prise
transformer tap	prise de réglage
T tap, tap-off, branch line	(ligne) en dérivation
technical information	renseignement technique
telecommand	télécommande

telecontrol	téléconduite
telecontrol unit	unité de téléconduite (UT)
telecontrolled (status) indication	signalisation en télécommande
teleindication, remote indication	télésignalisation
telemeasuring, telemetering	télémesure
telemetering, telemeasuring	télémesure
temperature rise	échauffement
terawatthour	térawattheure
term	terme
long term	long terme
medium term	moyen terme
short term	court terme
short-term power	puissance à court terme
very long term	très long terme
very short term	très court terme
terminal station	station terminale
tertiary energy	énergie ad hoc
tertiary winding	enroulement tertiaire
test	essai
acceptance test	essai de réception
non-standard test	essai hors norme
off-system test	essai hors réseau
real-time test, system test	essai en réseau
standard(ized) test	essai normalisé
system test, real-time test	essai en réseau

test area	aire d'essai
thermal generating station	centrale thermique
thermal reserve	réserve thermique
three phase	triphasé
three-phase fault, symmetrical fault	défaut triphasé, défaut symétrique
three-phase-to-ground fault	défaut triphasé-terre
threshold	seuil
throw over, automatic transfer	permutation
throw-over switch, changeover switch	permutateur
thyristor, controlled rectifier	thyristor
tie, interconnection	interconnexion
AC tie, alternating-current tie	interconnexion à courant alternatif
alternating-current tie, AC tie	interconnexion à courant alternatif
asynchronous tie, asynchronous interconnection	interconnexion asynchrone
DC tie, direct-current tie	interconnexion à courant continu
direct-current tie, DC tie	interconnexion à courant continu
synchronous tie, synchronous interconnection	interconnexion synchrone
tie line, interconnection line	ligne d'interconnexion
time	temps
AC time overcurrent protection	protection temporisée à maximum de courant alternatif
real time	temps réel
real-time system control	conduite en temps réel
real-time test, system test	essai en réseau
response time	temps de réponse
standard time	étalon de temps, temps standard

time constant	constante de temps
time-delay protection	protection (à action) différée, protection temporisée
time-delay stopping or opening protection	protection temporisée associée au déclenchement de séquences de protection et d'automatisme
time deviation	écart de temps
total demand, requirements, total system load	besoins globaux
total programmed exchange	échange programmé total
total system load, total demand, requirements	besoins globaux
tower	pylône
transaction log, exchange log	journal des échanges
transfer	transfert
automatic transfer, throw over	permutation
load transfer	transfert de charge, report de charge
permissive transfer trip	téléaccélération
remote transfer trip, remote trip(ping) control	télédéclenchement
transfer capacity, load-flow capacity, power-flow capacity	capacité de transit
transfer of control of equipment	avis de fin de travail
transfer trip(ping), remote trip(ping)	télédéclenchement
transformer	transformateur
capacitor voltage transformer	transformateur condensateur de tension

combined instrument transformer, combined transformer	transformateur combiné, combiné de mesure
combined transformer, combined instrument transformer	transformateur combiné, combiné de mesure
converter transformer	transformateur de convertisseur
current transformer	transformateur de courant
exciter transformer	transformateur d'excitation
(inductive) voltage transformer	transformateur de tension (à induction)
instrument transformer	transformateur de mesure
insulating transformer	transformateur d'isolation
insulator type transformer	transformateur type isolateur
isolating transformer	transformateur de séparation de circuits, transformateur d'isolement
negative booster transformer, negative boosting transformer	transformateur dévolteur
negative boosting transformer, negative booster transformer	transformateur dévolteur
phase-shifting transformer, phase shifter	convertisseur de phase, décaleur de phase, déphaseur
(positive) booster transformer	transformateur survolteur
power transformer	transformateur de puissance
starting transformer	transformateur de démarrage
transformer manhole, transformer vault	chambre de transformateurs
transformer tap	prise de réglage
transformer vault	poste client
transformer vault, transformer manhole	chambre de transformateurs
voltage transformer	transformateur de tension
transient	transitoire
sub-transient state	régime subtransitoire, régime sous-transitoire

transient fault	défaut fugitif
transient overvoltage	surtension transitoire
transient phenomenon	phénomène transitoire
transient stability	stabilité (en régime) transitoire
transient state	régime transitoire
transient-state instability	instabilité en régime transitoire
transmission	transmission
generation and transmission system, bulk power system	réseau de production et de transport, réseau de production-transport
transmission capacity	capacité de transport
transmission limit	limite de transit
transmission line	ligne de transport
transmission (of electrical energy)	transport
transmitter	transmetteur
transposition [(phase)], phase rotation	transposition (de phases)
treshold	seuil
trigger	gâchette
trip, tripping	déclenchement
false trip	déclenchement intempestif
permissive transfer trip	téléaccélération
remote transfer trip, remote trip(ping) control	automatisme de télédéclenchement
tripping, trip	déclenchement
final tripping	déclenchement définitif
remote trip(ping), transfer trip(ping)	télédéclenchement
remote trip(ping) control, remote transfer trip	automatisme de télédéclenchement
remote tripping system	téléprotection

transfer trip(ping), remote trip(ping)	télédéclenchement
tripping control	automatisme de déclenchement
tripping resistor	résistance de déclenchement
tripping sequence	séquence de déclenchement
T tap, branch line, tap-off	(ligne en) dérivation
tuning	syntonisation
tunnel	galerie
headrace tunnel, intake tunnel	galerie d'amenée
intake tunnel, headrace tunnel	galerie d'amenée
river-crossing tunnel	galerie sous-fluviale
tailrace tunnel	galerie de fuite
turbine	turbine
combustion-turbine generating station, gas-turbine generating station	centrale à turbine(s) à gaz
gas turbine	turbine à gaz
gas-turbine generating station, combustion-turbine generating station	centrale à turbine(s) à gaz
(turbine) pit, wheel pit	fosse, puits (de turbine)
wind turbine, wind generator, aerogenerator	éolienne, aérogénérateur
wind(-turbine) generating station	centrale éolienne
two-phase-to-ground fault	défaut biphasé à la terre, défaut biphasé-terre

■ U

unattended substation	poste non gardienné
unavailability unavailability rate	indisponibilité taux d'indisponibilité
unavailable, not available, non available	indisponible
unbalanced load	charge déséquilibrée, charge non équilibrée
unbalanced state	régime déséquilibré
uncontrolled spillway	déversoir
undercurrent protection	protection à minimum de courant
underfrequency	sous-fréquence
underground cable, underground line	ligne souterraine
underground line, underground cable	ligne souterraine
underpower protection	protection à minimum de puissance
underspeed	sous-vitesse

undervoltage	sous-tension, subtension
undervoltage protection	protection à minimum de tension, protection de sous-tension, protection de subtension
underwater river crossing	traversée sous-fluviale
unipolar, single pole, monopolar	unipolaire, monopolaire
unipolar HVDC system, monopolar HVDC system	système CCHT unipolaire, système CCHT monopolaire
unipolar line, monopolar line	ligne unipolaire, ligne monopolaire
unit	unité ; groupe
acquisition and control unit	unité d'acquisition et de commande (UAC)
central control unit	unité centrale de conduite (UCC)
converter unit	unité de conversion, groupe de conversion, groupe convertisseur
generating unit efficiency	rendement de groupe
permanent monitoring of generating units (SUPER)	surveillance permanente des groupes turbines-alternateurs (SUPER)
per unit (p.u.)	pour un, par unité (p.u.)
telecontrol unit	unité de téléconduite (UT)
unit cost	coût unitaire
unproductive inflow	apports improductifs
unsatisfactory start, starting failure, aborted start	démarrage incomplet, démarrage manqué
unscheduled maintenance	entretien non programmé
untagging	décondamnation
unwanted firing, false firing	allumage intempestif

unwanted operation, nuisance operation	fonctionnement intempestif
upstream	amont
upstream structure	ouvrage (d')amont
utilization	utilisation
utilization factor	facteur d'utilisation

V

V (volt)	V (volt)
VA (voltampere)	VA (voltampère)
vacuum	vide
valley	vallée
value	valeur
marginal value of water	valeur marginale de l'eau
set value, set point	valeur de consigne, consigne, point de consigne
valve	valve (courant continu)
(valve) conduction interval	intervalle de conduction
valve group	groupe de valves
var (var)	var (var)
variable cost	coût variable
variable limit	seuil variable

variation	variation
flow variation rate	taux de variation de débit
frequency variation, frequency fluctuation	variation de fréquence
power variation, power fluctuation	variation de puissance
power variation rate	taux de variation de puissance
variation of water level, fluctuation (of water level)	marnage
voltage variation, voltage fluctuation	variation de tension, fluctuation de tension
voltage variation rate	taux de variation de tension
ventilation	aération, ventilation
ventilation system	système d'aération, système de ventilation
very long term	très long terme
very short term	très court terme
vibration	vibration
virtual fault	défaut virtuel
volt (V)	volt (V)
voltage	tension
capacitor voltage transformer	transformateur condensateur de tension
forward voltage	tension directe
high voltage direct current (HVDC)	courant continu à haute tension (CCHT)
high voltage (HV)	haute tension (HT)
high-voltage winding	enroulement haute tension
impulse withstand voltage	tension de tenue au choc
incoming voltage	tension d'entrée, tension nouvelle

(inductive) voltage transformer	transformateur de tension (à induction)
line-to-ground voltage, phase-to-ground voltage	tension phase-terre
line-to-line voltage, phase-to-phase voltage, line voltage	tension entre phases, tension phase-phase, tension composée
line-to-neutral voltage, phase-to-neutral voltage	tension phase-neutre, tension simple
line voltage, phase-to-phase voltage, line-to-line voltage	tension entre phases, tension phase-phase, tension composée
low voltage (LV)	basse tension (BT)
low-voltage current limit (LVCL)	limiteur de courant dépendant de la tension (LCDT)
low-voltage distribution line	ligne de distribution (à) basse tension
low-voltage winding	enroulement basse tension
maximum voltage	tension maximale
medium voltage (MV)	moyenne tension (MT)
medium-voltage distribution line	ligne de distribution (à) moyenne tension
minimum voltage	tension minimale
nominal voltage	tension nominale
phase-to-ground voltage, line-to-ground voltage	tension phase-terre
phase-to-neutral voltage, line-to-neutral voltage	tension phase-neutre, tension simple
phase-to-phase voltage, line-to-line voltage, line voltage	tension entre phases, tension phase-phase, tension composée
rated voltage	tension assignée
reference voltage, running voltage	tension de référence
reverse voltage	tension inverse
running voltage, reference voltage	tension de référence
voltage-balance protection	protection à équilibre de tension
voltage control, voltage regulation	réglage de tension
voltage conversion	conversion de tension

voltage decrease, voltage stepdown, brownout	baisse volontaire de niveau de tension, abaissement de tension
voltage deviation	écart de tension
voltage dip	creux de tension
voltage divider	diviseur de tension
voltage drop	chute de tension
voltage fluctuation, voltage variation	fluctuation de tension, variation de tension
voltage increase, voltage rise	hausse de tension
voltage level	niveau de tension
voltage limit	limite de tension
voltage mode	mode tension
voltage oscillation	oscillation de tension
voltage profile	profil de tension
voltage range	plage de tension
voltage reduction	baisse de tension
voltage regulation, voltage control	réglage de tension
voltage regulator	régulateur de tension
voltage rise, voltage increase	hausse de tension
voltage set point	consigne de tension
voltage step	échelon de tension
voltage stepdown, voltage decrease, brownout	abaissement de tension, baisse volontaire de niveau de tension
voltage transformer	transformateur de tension
voltage variation, voltage fluctuation	variation de tension, fluctuation de tension
voltage variation rate	taux de variation de tension
voltampere (VA)	voltampère (VA)
voltmeter	voltmètre
voluntary interruption	interruption volontaire

W (watt)	W (watt)
water	eau
flood (water) discharge, flood flow, high-water discharge	écoulement de crue, débit de crue, (débit de) hautes eaux
fluctuation (of water level), variation of water level	marnage
high-water discharge, flood flow, flood (water) discharge	(débit de) hautes eaux, débit de crue, écoulement de crue
marginal value of water	valeur marginale de l'eau
variation of water level, fluctuation (of water level)	marnage
water discharged	débit turbiné
water level	niveau d'eau
water level indicator, limnimeter	limnimètre
water recovery rate	taux de récupération d'eau
water-resource system	système hydrique
water-resource system management	gestion des systèmes hydriques
water year, hydrological year, rainfall year	année hydrologique
watershed, catchment (area)	bassin versant
watt (W)	watt (W)
watthour (Wh)	wattheure (Wh)
watthourmeter	wattheuremètre

wattless power, reactive power	puissance imaginaire, réactif, puissance réactive
wattmeter	wattmètre
wave	onde
carrier (wave)	(onde) porteuse
wave trap, line trap	circuit bouchon
wavefront	front d'onde
Wh (watthour)	Wh (wattheure)
wheel(ing)	transit
wheel pit, (turbine) pit	fosse, puits (de turbine)
wicket gate, guide vane	directrice (d'une turbine)
wind generator, wind turbine, aerogenerator	aérogénérateur, éolienne
winding	enroulement
high-voltage winding	enroulement haute tension
low-voltage winding	enroulement basse tension
primary winding	enroulement primaire
secondary winding	enroulement secondaire
tertiary winding	enroulement tertiaire
wind turbine, aerogenerator, wind generator	aérogénérateur, éolienne
wind(-turbine) generating station	centrale éolienne
wire	fil
overhead ground wire, shield wire, sky wire	fil de garde, câble de garde
pilot wire	fil pilote

pilot-wire protection	protection par fil pilote
shield wire, sky wire, overhead ground wire	câble de garde, fil de garde
sky wire, shield wire, overhead ground wire	câble de garde, fil de garde
withdrawal	retrait
equipment withdrawal listing, integrated outage program	bilan des retraits
reservoir withdrawal factor	facteur de prélèvement de réservoir
withdrawal (from service)	retrait (de l'exploitation)
wood	bois
work	travail
control works, control structure	ouvrage de régulation, ouvrage régulateur
work area	zone d'intervention
work permit	autorisation de travail
work permits management	gestion des autorisations de travail
work-safety code	code de travaux

Y

year	année
10-year (return) flood	crue décennale
20-year (return) flood	crue vicennale
50-year (return) flood	crue cinquantennale, crue quinquagennale
100-year (return) flood	crue centennale
1000-year (return) flood	crue millennale
10 000-year (return) flood	crue décamillennale
hydrological year, rainfall year, water year	année hydrologique

rainfall year, water year, hydrological year	année hydrologique
water year, hydrological year, rainfall year	année hydrologique
yield, inflow, cumulative flow	apports

BIBLIOGRAPHIE

ASSOCIATION QUÉBÉCOISE DES TECHNIQUES DE L'EAU, *Dictionnaire de l'eau*, Québec, Éditeur officiel du Québec, 1981, 544 p.

BELLE-ISLE, J.-Gérald, *Dictionnaire technique général*, anglais-français, 2e éd., Montréal, Beauchemin, 1977, 522 p.

BUCKSCH, Herbert, *Dictionnaire pour les travaux publics, le bâtiment et l'équipement des chantiers de construction*, français-anglais, Paris, Eyrolles, 1962, 548 p.

CLASON, W. E., *Elsevier's Electrotechnical Dictionary in Six Languages*, New York, Elsevier, 1965, 730 p.

CLASON, W. E., *Elsevier's Dictionary of Measurement and Control*, New York, Elsevier, 1977, 886 p.

COMMISSION ÉLECTROTECHNIQUE INTERNATIONALE (CEI), *Dictionnaire CEI multilingue de l'électricité*, Genève, CEI, 1983, vol. 1, 892 p.

COMMISSION ÉLECTROTECHNIQUE INTERNATIONALE (CEI), *Vocabulaire électrotechnique international Groupe 55 : Télégraphie et téléphonie*, Genève, CEI, 1970, 256 p.

COMMISSION ÉLECTROTECHNIQUE INTERNATIONALE (CEI), *Vocabulaire électrotechnique international Chapitre 321 : Transformateurs de mesure*, Genève, CEI, 1986, 49 p.

COMMISSION ÉLECTROTECHNIQUE INTERNATIONALE (CEI), *Vocabulaire électrotechnique international Chapitre 448 : Protection des réseaux d'énergie*, Genève, CEI, 1987, 36 p.

COMMISSION ÉLECTROTECHNIQUE INTERNATIONALE (CEI), *Terminologie pour le transport d'énergie à courant continu à haute tension*, publication 633, Genève, CEI, 1978, 49 p.

COMMISSION INTERNATIONALE DES GRANDS BARRAGES (CIGB), *Dictionnaire technique des barrages*, Paris, CIGB, 1978, 282 p.

COMMISSION INTERNATIONALE DES IRRIGATIONS ET DU DRAINAGE, *Dictionnaire technique multilingue des irrigations et du drainage*, La Commission, New Delhi, 1967, 805 p.

CONFÉRENCE MONDIALE DE L'ÉNERGIE, *Terminologie de l'énergie* (Dictionnaire multilingue), 2e éd., Toronto, Pergamon Press, 1986, 539 p.

CONSEIL INTERNATIONAL DE LA LANGUE FRANÇAISE (CILF), *Dictionnaire des industries*, Paris, CILF, 1986, 1082 p.

CONSEIL INTERNATIONAL DE LA LANGUE FRANÇAISE (CILF), *Dictionnaire des termes nouveaux des sciences et des techniques*, Paris, CILF, 1983, 605 p.

CONSEIL INTERNATIONAL DE LA LANGUE FRANÇAISE (CILF), *Vocabulaire de l'hydrologie et de la météorologie*, Paris, Maison du dictionnaire, 1978, 239 p.

DE LUCA, Johanne, *Dictionnaire des télécommunications*, anglais-français, Paris, Masson, 1988, 401 p.

Dictionnaire encyclopédique Quillet, Paris, Quillet, 1977, 10 vol. et 1 suppl., 1977.

Dictionnaire Merlin & Gerin de la technique de la commutation et des transformateurs ; français-allemand-anglais, Paris, Dunod, 1963, 600 p.

DORIAN, A.F., *Dictionnaire de science et technologie*, français-anglais, New York, Elsevier, 1980, 1085 p.

DORIAN, A.F., *Dictionnaire de science et technologie*, anglais-français, New York, Elsevier, 1980, 1586 p.

DUPUIS, René, *De l'anglais au français en électrotechnique*, 3e éd., Québec, 1947, 235 p.

ÉLECTRICITÉ DE FRANCE (EDF), *Code général de manœuvres des réseaux électriques*, s.l., 1975, 42 p.

ÉLECTRICITÉ DE FRANCE (EDF), *Thésaurus*, 4e éd., Paris, EDF, mai 1982, 2 vol.

ÉLECTRICITÉ DE FRANCE (EDF), *Thésaurus*, 1re édition français-anglais, Paris, EDF, avril 1989, 2 vol.

ELECTRIC POWER RESEARCH INSTITUTE (EPRI), *Methodology for Integration of HVDC Links in Large AC Systems - Phase I: Reference Manual*, EL-3004 Research Project 1964-1, Final Report, March 1983, Appendix C - Glossary, 6 p.

ERNST, R., *Dictionnaire général de la technique industrielle* - Tome IX : français-anglais, Paris, L'Usine Nouvelle, 1982, 1085 p.

ERNST, R., *Dictionnaire général de la technique industrielle* - Tome X : anglais-français, Paris, L'Usine Nouvelle, 1982, 1399 p.

FRANCE, Commissariat à l'énergie atomique, *Dictionnaire des sciences et techniques nucléaires*, 3e éd., Paris, Eyrolles, 1975, 487 p.

FROIDEVAUX, J., *Documentation franco-anglaise de l'énergie électrique*, Paris, Dunod, 1955, 179 p.

Gage Canadian Dictionary, Toronto, Gage Publishing Limited, 1983, 1313 p.

GOEDECKE, W., *Dictionnaire de l'électrotechnique, des télécommunications, et de l'électronique* - tome III : anglais-allemand-français, Wiesbaden, Brandsetter, 1967, 1252 p.

GRAF, Rudolf F., *Modern Dictionary of Electronics*, 5th ed., New York, Howard W. Sams, 1982, 827 p.

Grand dictionnaire encyclopédique Larousse, Paris, Larousse, 1982-1985, 10 vol.

Harrap's New Standard French and English Dictionary, vol. 1 et 2, French-English, 1972, vol. 3 et 4, English-French, 1980.

HUNT, V. Daniel, *Energy Dictionary*, Toronto, Van Nostrand, 1979, 518 p.

HYDRO-QUÉBEC, Comité de la prévision d'entreprise, *Rapport no 1 du Groupe de travail sur la terminologie de la demande*, février 1980, 31 p.

HYDRO-QUÉBEC, Direction Conduite du réseau - Distribution, *Code d'exploitation*, 1986, 53 p.

HYDRO-QUÉBEC, service Terminologie et Diffusion, *Vocabulaire de la fonction commerciale*, 1989, 103 p.

HYDRO-QUÉBEC, service Terminologie et Diffusion, *Vocabulaire des interconnexions*, 1990, 85 p.

HYDRO-QUÉBEC, service Terminologie et Diffusion, *Vocabulaire illustré des lignes aériennes de transport et de distribution d'électricité*, (4 fascicules et 1 index), 1982-1986.

HYDRO-QUÉBEC, service Terminologie et Diffusion, *Vocabulaire illustré des lignes souterraines*, (2 fascicules), 1986-1988.

INSTITUTE OF ELECTRICAL AND ELECTRONICS ENGINEERS (IEEE), *IEEE Standard Dictionary of Electrical and Electronics Terms*, ANSI/IEEE Std 100-1988, 4th ed., New York, IEEE, 1988, 1270 p.

INTERNATIONAL FEDERATION OF AUTOMATIC CONTROL (IFAC), *Multilingual Dictionary of Automatic Control Terminology*, Pittsburgh, Pennsylvania, 1967, p.v.

KING, G. G., *Elsevier's Dictionary of Electronics*, English-French, New York, Elsevier, 1986, 619 p.

KING, G. G., *Elsevier's Dictionary of Electronics*, French-English, New York, Elsevier, 1986, 625 p.

L'ÉNERGIE ATOMIQUE DU CANADA, LIMITÉE, *Dictionnaire technique anglais-français*, Ottawa, EACL, 1971, 155 p.

Le grand Robert de la langue française, dictionnaire alphabétique et analogique de la langue française, 2e éd., Paris, Le Robert, 1985, 9 vol.

LONGPRÉ, Marcel, *Dictionnaire électrotechnique anglais-français, français-anglais*, 1974, 68 p.

LUGINSKY, Y. N., *Dictionnaire multilingue d'électrotechnique*, Paris, Dunod, 1985, 479 p.

McGraw-Hill Dictionary of Scientific and Technical Terms, Sybil P. Parker, Editor in Chief, 4th ed., New York, McGraw-Hill, 1989, 2088 p.

NORTH AMERICAN ELECTRIC RELIABILITY COUNCIL, *Capacity and Demand (Concepts and Reporting Procedures)*, Princeton, New Jersey, 1987, 28 p.

NORTHEAST POWER COORDINATING COUNCIL (NPCC), *Glossary of Standard Operating Terms*, New York, NPCC, revised April 7, 1986, 21 p.

ORGANISATION DES NATIONS UNIES POUR L'ÉDUCATION, LA SCIENCE ET LA CULTURE (UNESCO) ET ORGANISATION MÉTÉOROLOGIQUE MONDIALE, *Glossaire international d'hydrologie*, Genève, 1974, 391 p.

PÉLISSIER, René, *Les réseaux d'énergie électrique*, Paris, Dunod, 1971-1975, 4 vol.

PIRAUX, Henry, *Dictionnaire anglais-français des termes relatifs à l'électronique, l'électrotechnique, l'informatique et aux applications connexes*, 14e éd., Paris, Eyrolles, 1983, 396 p.

PIRAUX, Henry, *Dictionnaire français-anglais des termes relatifs à l'électronique, l'électrotechnique, l'informatique et aux applications connexes*, 10e éd., 1984, 218 p.

POUGET, J., *Réseaux électriques*, Paris, Masson, 1979, 294 p.

ROCHE, Marcel F., *Dictionnaire français d'hydrologie de surface*, Paris, Masson, 1986, 288 p.

SINGER, Lothar, *Russian-English-French-German Hydrological Dictionary*, Londres, Scientific Information Consultants, 1967, 151 p.

SIZAIRE, Pierre, *Dictionnaire technique de la construction électrique*, Paris, Eyrolles, 1968, 170 p.

SWEDISH CENTRE OF TECHNICAL TERMINOLOGY, *Glossary of water 2 : geological, hydrological, meteorological terms*, TNC 45, Stockholm, Swedish Centre of Technical Terminology, 1970, 77 p.

Techniques de l'ingénieur, Paris.

STONE AND WEBSTER MANAGEMENT CONSULTANTS INC., *Techniques for Analyzing the Impacts of Certain Electric Utility Ratemaking and Regulatory Policy Concepts - Glossary*, Washington, U.S. Department of Energy, 1980, 106 p.

The Random House Dictionary of the English Language, 2nd ed., New York, Random House, 1987, 2478 p.

Trésor de la langue française ; dictionnaire de la langue du 19e et du 20e siècle, Paris, Centre national de la recherche scientifique, 1971-.

UNION INTERNATIONALE DES PRODUCTEURS ET DISTRIBUTEURS D'ÉNERGIE ÉLECTRIQUE (UNIPEDE), *Terminologie utilisée dans les statistiques de l'industrie électrique*, 3e éd., s.l., 1975, 197 p.

UNION INTERNATIONALE DES TÉLÉCOMMUNICATIONS (UIT), *Glossaire provisoire de termes des télécommunications*, Genève, UIT, 1979, 644 p.

UNION INTERNATIONALE DES TÉLÉCOMMUNICATIONS (UIT), *Termes de télécommunications*, (Glos/80/2), Genève, UIT, 1981, 179 p.

UNION POUR LA COORDINATION DE LA PRODUCTION ET DU TRANSPORT DE L'ÉLECTRICITÉ (UCPTE), *Terminologie de l'exploitation des réseaux interconnectés de l'UCPTE*, Vienne, UCPTE, 1978, 297 p.

TABLE DES MATIÈRES

Avant-propos 5

Notes liminaires 9

Français-anglais 13

Anglais-français 121

Bibliographie 243